D1482439

Clara Janés

Viaje a los dos Orientes

El Ojo del Tiempo **Ediciones Siruela**

Esta obra ha sido publicada con una subvención de la Dirección General
del Libro, Archivos y Bibliotecas del Ministerio de Cultura, para su préstamo
público en Bibliotecas Públicas, de acuerdo con lo previsto en el artículo 37.2
de la Ley de Propiedad Intelectual.

En cubierta: Imagen de Volker Straeter, Agencia bdmdesign
Diseño gráfico: Gloria Gauger
© Clara Janés, 2011
© Ediciones Siruela, S. A., 2011
c/ Almagro 25, ppal. dcha.
28010 Madrid. Tel.: 91 355 57 20 Fax: 91 355 22 01
siruela@siruela.com   www.siruela.com
ISBN: 978-84-9841-422-6
Depósito legal: M-12.990-2011
Impreso en Closas-Orcoyen S. L.
Printed and made in Spain

Papel 100% procedente de bosques bien gestionados

Índice

Palabras previas   11

Viaje a los dos Orientes

I **Los caminos de la luz**

Jardín turco [*Turquía*]   17

El rapto de los sentidos   19

Salto hacia el universo   24

La labor de Solimán   27

El perfume   31

Palacios del desierto [*Túnez*]   35

Jóvenes poetas del Yemen [*países árabes*]   40

El firmamento   44

Después del silencio   48

Adonis   51

Escrito en arena y piedra   53

Mujeres sin miedo [*Afganistán*]   60

Amplios horizontes   64

Chahram Nazerí [*Irán*]   66

Hamlet persa 68

Teherán 70

Una invitación a la fantasía 75

Ispahán, el azul indetenible 80

El gallo 87

Benarés [*India*] 89

Cientos de cascabeles 95

Raga 98

Misteriosa inteligencia 100

II Piedras, formas, nexos

Digo Rumanía 105

Praga con el guante del crepúsculo 108

Formas inquietantes 111

Cementerio judío 113

Los paseos de Kafka 115

Moscú, el corazón de la nieve 119

La energía de las figuras 123

Bremen 126

Toscana: historia y fiesta 131

Los saltos y piruetas de Milán 134

Sicilia, dos caras del paisaje mediterráneo 139

Amanecer en Lisboa 144

III El primer viaje

Despertar   **151**

La debilidad del agua   **155**

A propósito del teatro Nō   **157**

Atzuko y el reflejo   **161**

El mundo flotante   **163**

Escribir con el gesto   **165**

El *koto* y la sombra   **167**

El fantasma   **169**

Yamatu   **171**

Palabras previas

Dado que la Tierra es redonda y Oriente es el «punto cardinal del horizonte por donde aparece el Sol en los equinoccios»[1], todos sus espacios pueden revestir la condición de Oriente. Ahora bien, oriente puede ser también un lugar interior, aquel que nos *orienta*, aquel que inspiró al filósofo persa del siglo XII Sohravardi las palabras: «A los errantes que llaman al portal de las altas salas de la luz con verdad y firmeza de corazón, van a buscarlos los ángeles de Dios y los atraen al Oriente de las Luces, los saludan con saludos del mundo de Malakût[2], y derraman sobre ellos un Agua que brota de la fuente de la Belleza» (*La sabiduría oriental*).

Oriente es también –y es belleza– «el brillo especial de las perlas» y el «nacimiento o principio de las cosas»[3], y es, igualmente, un viento. La casa de mi infancia, situada en Pedralbes, estaba orientada hacia el Este. Desde su azotea veía toda la ciudad de Barcelona rematada por la montaña de Montjuich y el mar. Veía los barcos y éstos corroboraban la realidad de la

---

[1] Diccionario de Casares.

[2] «Mundo o esfera del alma», Henry Corbin, *Corps spirituel et Terre celeste* [*Cuerpo espiritual y Tierra celeste*, trad. de Ana Cristina Crespo, Siruela, Madrid 1996].

[3] Diccionario de Casares.

aventura. Pero también el viaje y la aventura –sobre todo para un niño– podían tener dos caras: la exterior y la interior, la que implica salir de casa o la que enriquece el juego. A través de las historias oídas, el cine, los libros, se van distribuyendo en la mente los espacios de la aventura, siendo ya un elemento fundamental, en este hecho, la conciencia de lo próximo y lo lejano, no sólo geográficamente. Hay aquello que uno reconoce de inmediato como distinto, países con pobladores de otras razas, que visten de modo extraño, que escriben con caligrafías indescifrables, y aquellos en los que uno se reconoce, cuyos textos se pueden leer aunque no se entiendan. Los primeros seducen por su colorido y su enigma, los segundos exigen una atención menos envuelta en fantasía. Esto me ha movido a dividir los textos aquí recogidos –la mayoría de los cuales son artículos aparecidos en la prensa, algunos adaptados para esta edición– en dos bloques que responden a ambos conceptos. Hay un tercero: «El primer viaje». Gira en torno a un lugar muy *frecuentado* mentalmente durante la infancia que todavía no he pisado: Extremo Oriente.

Situándonos en España, todos los países visitados quedan al Este, excepto uno: Portugal. Pero, a decir verdad, nunca sabré si miro a Lisboa como Occidente, desde Barcelona, o como Oriente, desde la imaginada Kioto.

Viaje a los dos Orientes

Nota

Dado que he modificado algunos textos bien para no repetir, bien porque habían sido reducidos en la prensa por necesidades tipográficas, doy como única referencia a su anterior publicación el año en que ésta tuvo lugar.

I

Los caminos de la luz

Jardín turco

Pasa una nube y sólo el poeta ve la intención de su trayecto. Si el poeta es turco, sabe que corre a proteger del sol un jardín donde las rosas y los ruiseñores son compañía de una joven de ojos garzos que se llama Aisé. En él moran, además, una paloma y una liebre de largas orejas, que al llegar la noche se duerme junto a un estanque que refleja el cielo. La nube saca brillo a las estrellas y la luna y se transforma luego en un laúd para entonar una nana; todo por complacer a la muchacha, a la que, cuchillo en mano, amenaza Seyfi el Negro, que la pretende y codicia sus bienes.

Seyfi corta las flores, la nube le clava en la carne la hoz de la luna; Seyfi se alía con el Cardo y, provisto de un saco y un cántaro, parte hacia los países de la Sequía y de los Vientos; llena el saco de arena, el cántaro de huracanes, y lo vierte luego en el jardín de Aisé. La nube enamorada, por salvarlo, se suicida convirtiéndose en lluvia; así las flores muertas resucitan y a Seyfi le castañetean los dientes mientras los vientos derrotados se vuelven contra él llevándolo a un lugar sin retorno. Aisé llora por la nube muerta, pero la liebre la remite al sol, que surge esplendoroso, y evaporando agua del estanque reúne de nuevo en el cielo las diminutas gotas, reconstruyendo su algodonoso cuerpo, que ahora cobra la forma de una boca que sonríe.

De hecho, todo había nacido de una boca, la de un derviche que tocaba la flauta, de cuyos agujeros, al soplar, surgían árboles, ríos, montañas, caminos, flores, y también lo hicieron Seyfi y Aisé; y todo ello del verbo fantasioso de Nazim Hikmet, ese poeta que fue abanderado en su país por la causa de la libertad, tanto en el texto, pues antes que nadie escribió en verso libre, como en la vida, lo que le llevó a ser encarcelado repetidamente hasta que se exilió en 1951. Solimán Salom nos dejó, además de la traducción de sus poemas, su emocionante biografía. Por su parte, Fernando García Burillo, un joven editor que no conoce el miedo, se lanzó un día a ofrecernos, en edición bellamente ilustrada, ese cuento de Hikmet, *La nube enamorada*. Que sean bienvenidos tales derviches y crezcan las flores de jardines tan próximos, y a la vez tan lejanos y misteriosos, que encierran para el lector una forzosa tentación.

1990

El rapto de los sentidos

Desde una atmósfera levemente brumosa, una forma arquitectónica antigua en piedra (el acueducto de Valens) me da el
primer aviso de llegada a Estambul y, pronto, tras cruzar el es-
trecho, veo un mar sembrado de barcos, que parece salir de
una estampa de siglos pasados. Una vez más siento de inmediato el impulso de perderme por esta ciudad que, no sé por qué,
sitúo como meta de una aventura mental de adolescencia. No
me cabe duda, lo que mis ojos buscaban al mirar el mar desde
mi casa de Barcelona era Estambul. Tal vez por ser una encru-
cijada cultural, por ser una ciudad distinta a las nuestras, pero
tan semejante, me reconozco en ella gozando de ese margen
de sorpresa que siempre encierra lo otro.

Pasear por Estambul es en sí tal placer que no me entreten-
go mirando el plano ni proyectando visitas concretas. Ya sé que
iré a Santa Sofía y a la Mezquita Azul, que cogeré un taxi para
llegar a tiempo y visitar la iglesia de San Salvador en Chora y
que me admirarán una vez más los frescos y los mosaicos que
pueblan sus paredes, esa sinfonía austera que es *La Dormición
de la Virgen*, ese mandala que es la cúpula del nártex; ya sé que
iré igualmente a la de Pammakaristos y me detendré ante una
arquitectura religiosa tan osada para los siglos XII y XIII; pero
sobre todo sé que me seducirán las calles, los bazares, las gentes, esas mujeres ya a la islámica con la cabeza cubierta, ya rigu-

rosamente emancipadas, peinadas de peluquería, bien vestidas y más combativas y duras que cualquier hembra occidental; esos hombres tan viriles que habría que dividir –como hacía Elio Vittorini con los sicilianos– entre «con bigotes» y «sin bigotes»...

Estoy en el Hotel Pera Palace, situado en el barrio *chic*, y me lanzo al vagabundeo empezando por Istiklal. Bajo hasta el Túnel, un breve funicular, compro un billete y me meto en el vagón, libre de turistas, para aparecer en el barrio de Karaköy, donde los pescadores, a veces desde las mismas barcas, venden esos pescados que brillan como la plata y son tan frescos que todavía se mueven. Junto a los azafates, bellamente dispuestos, van dejando ir una cantinela que elogia su mercancía e instan al que pasa por allí a comprar. Me gusta recorrer los puestos, llegar a una suerte de barecillo popular, comer un típico *berek* o bolas de carne con arroz. Es un rincón que me descubrió el poeta Ilhan Berk –el gran cantor de Estambul– hace unos años, cuando aún existía el puente de madera de Gálata y estaba repleto de pescadores de caña, vendedores de tabaco suelto, de peucos y calcetines, de gorros, y de objetos de cuero. Ese puente se quemó, pero lo sustituye uno moderno, de modo que igualmente se puede llegar a Eminönü y ver una infinidad de palomas oscuras y, delante de las amplias escalinatas de la mezquita de Yeni, varias mujeres con sus pañuelos de vivos colores en la cabeza, sentadas en sillitas plegables, que custodian extensiones de grano. ¡Y qué alboroto de las aves cada vez que alguien da una moneda a una de esas mujeres y ella echa al aire una medida de alimento! Y ya se ven por la calle los puestos de frutos secos...

Todo es una aventura para los sentidos en Estambul, así el Bazar de las Especias o Bazar egipcio: los puestos son arrebato para el ojo –todo está ordenado, limpio, bien dispuesto: almendras, piñones, orejones, ciruelas, dátiles, pistachos, cardamomo...–; los de miel y sus derivados, con pastelillos adornados con nueces; los de quesos, los de especias –clavo, canela, comino, *somak*, azafrán...–, y los perfumistas. Si uno quiere saber cómo huele realmente el almizcle, el sándalo o el ámbar en su pureza, que se acerque a los innumerables frascos de cristal de distintas formas que contienen las misteriosas destilaciones cuyos colores van de un verde negruzco a un amarillo claro, pasando por el oro, el naranja y el azul. Tal vez un joven vendedor de ojos azules pintará pequeñas rayas en el dorso de su mano y le dará a conocer los líquidos tesoros, por ejemplo el llamado *Mechmua*, producto de otros once, entre los cuales los más importantes son ámbar, almizcle, gardenia, cannabis, opio, sándalo, *yiang yiang*, y, cómo no, jazmín y rosa.

Pero mis pies me llevan y van directamente a Santa Sofía, es decir, avanzan primero por la calle Yeni Postane y luego por Ismail Kazim Gürkan. Lo que es Santa Sofía..., un ámbito cálido, envolvente, integrador, rico y dulce, una atmósfera dorada que te rodea, te eleva, te cobija, se te lleva, te hace el amor, hace aflorar en ti el amor, te mece, te entrega al abrazo del más allá, en fin, una emoción espacial tan fuerte...; es sentir la armonía perfecta con el entorno mientras se borra el transcurrir. Uno se quedaría en ese lugar, envuelto por el reverbero dorado de los mosaicos, pero el tiempo corre.

Casi flotando, me voy hasta la Mezquita Azul. Dejo los zapatos en la puerta y entro. Aún me ronda el dorado de Santa Sofía cuando me arrebatan los azulejos y la luz que penetra por la alta cúpula. Permanezco allí un rato en silencio. Salgo, me pongo los zapatos de nuevo y echo a andar. Y paso ante la tumba de Ahmet (un Corán, cuatro reliquias, unos sarcófagos en desorden) y luego, he aquí el dilema, puedo ir a Topkapi y ver el retrato de Mehmet II con su turbante blanco y oliendo una flor de espino, el precioso ejemplar del Corán miniado en oro y azules que data de 909; admirar el colorido alicatado del harén, los kaftanes y los amplios pantalones, los atavíos de boda, los *kerchief* y los batines de los sultanes, las joyas como puños que llevaban en la cabeza entre plumas, los puñales sembrados de esmeraldas, los tronos con incrustaciones de pedrería, y acercarme después al Museo Arqueológico y recorrer la parte del antiguo Oriente, con sus cerámicas picasianas de la época neolítica, las estelas sumerias, asirias, hititas, o la parte griega y romana donde están la cabeza de Safo, la de Alejandro Magno, un sátiro, un atleta, una tanagra, los retratos de Augusto, Livia, Marco Aurelio, Diocleciano, Arcadio... Pero mi impulso me lleva hacia el otro lado, hacia la mezquita de Bayaceto y el Gran Bazar, así que me dirijo a Yeniceriler y entro por la puerta de las joyas, un verdadero escándalo, son «los chorros del oro»: tiendas y tiendas de cascadas de collares y cadenas de oro que se prolongan en un laberinto deslumbrante. Pero también llega la plata, y llegan las piedras, las turquesas, los granates, las perlas de Adén, los corales, los marfiles, los abalorios, los ojos contra el mal de ojo, sacos llenos de ojos, sacos de ágatas, de cerámicas, de cacharros, pañuelos... Y ahí están las sedas, las lanas, las babuchas, las alfombras... Doy la vuelta y salgo a la explanada de delante de la mezquita de Bayaceto. No hay mucha gente por el frío, pero no faltan los puestos de pepinos, de carne asada que gira –*döner kebab*– y de pinchos con cebolla y tomate, el pan ácimo, los roscones, los vendedores de ropa, de zapatos, de discos y casetes, los niños aguadores con su cinturón de vasos, un mongol con coleta que ofrece babuchas orientales de piel de cordero muy calientes...

Pero ya se oye la voz del muecín que llama a la oración, se va haciendo tarde. Con Ilhan Berk fui una vez a Asia, es decir, pasé al otro lado del Bósforo, a Ortaköy, barrio de galerías, estudiantes, buquinistas, con una placita llena de jóvenes inquietos que compran libros, y paseamos luego por Taksim, donde antaño se repartía el agua de la ciudad. El otro gran poeta turco, Dağlarca, vive en Asia. Para verlo hay que tomar un barco anticuado y lento, llegar y encontrarlo en una sala de billares donde nunca entra una mujer, aunque yo, con mi desfachatez, y despertando la furia contenida de los parroquianos, me asomé. Salimos de allí para mirar el mar y vimos un barco con un cortejo de gaviotas. Llevaba cajas de pescado y las aves avanzaban a su mismo ritmo volando en círculos alrededor. Una estampa surrealista. Dağlarca es poeta en todas sus palabras. Habla, por ejemplo, de cómo se despierta, y dice: «La oscuridad son líneas negras en el espacio. De pronto hay una línea azul, luego otra, y amanece». Con él estuve también en uno de esos palacios que tenían los sultanes a la orilla del Bósforo, el de Dolmabahçe, con espléndidos jardines y situado a ras de agua. Hay otros, el de Küçüksu, el de Beylerbeyi...

Con el poeta árabe Adonis subí a la Torre de Gálata. La torre es de piedra y no muy alta, su proporción es íntima, apenas se la distingue entre las casas del barrio, pero desde arriba la vista del Cuerno de Oro por un lado, por otro del Bósforo, y más allá del Mármara, todas las mezquitas, la fundición, Topkapi, el mar... En su balcón corre el viento en círculo y despeja la mente, quita el cansancio. En la torre hay un restaurante y por la noche se puede ver bailar la danza del vientre y danzas turcomanas, oír el *kanun*... A Adonis le gusta la música y esta visita nos lanzó en busca de cintas populares. Por fin, cerca del acueducto de Valens, las encontramos en una tienducha perdida. Ahí, en la Torre de Gálata quiero acabar el día. Subo, pues, hasta lo más alto y llego a tiempo para ver cómo las mezquitas de uno y otro lado emiten un último destello rojizo y los barcos y las aguas se someten a la absorción del color por el azul, mientras un astro blanco apunta sobre el barrio de Balat.

1999

Salto hacia el universo

Nunca he visto cantar ni bailar a un sufí, pero imagino muy bien lo que es la danza de los giróvagos de Konya, ese dar vueltas como una peonza capaz de producir la confusión de los siete colores del espectro y generar el blanco, es decir la levedad, la ascensión o desasimiento hasta no notar los pies en el suelo. Debe ser así puesto que el sentido originario de su danza era incorporar el mismo movimiento de rotación de los planetas en el cielo, una forma de inscribirse en el universo, un modo de reintegrarse en él a través del éxtasis, es decir de la unión con la divinidad.

¿Tenían sólo este sentido el baile y el canto de algunos místicos? Con frecuencia intento imaginar lo inimaginable, cosas tales como situarme en una época lejana y figurarme reacciones concretas. Este año, por ser el centenario de dos grandes místicos que he estudiado un poco, San Juan de la Cruz, de cuya muerte se cumplen cuatro siglos, y Yunus Emré, que nació hace setecientos cincuenta años en Anatolia, he dado en pensar en estos temas.

¿Escribió San Juan las primeras estrofas del *Cántico* en uno de los peores momentos de su vida, es decir hallándose encerrado en la celda-prisión de Toledo, en un espacio tan reducido que apenas le permitía moverse, con la luz mínima que entraba por una alta aspillera de tres dedos, en unas condiciones de higiene nulas, comido de piojos, enfermo, casi sin recibir alimento, martirizado psíquicamente al máximo por sus perseguidores o, por el contrario, después del alivio de su fuga?

Es un tema muy debatido y probablemente nunca se sabrá con toda certeza cómo fue. Yo, aunque tan distante en carácter a la rigidez del de San Juan de la Cruz que escapa a mi comprensión, no veo cómo hubiera podido sobrevivir a tales circunstancias de no centrar su intelecto en la creación poética, es decir de belleza, existiendo durante aquellos meses de terrible oscuridad, ante todo como una mente creadora.

Más lejano en el tiempo pero más próximo, por su pensamiento, me parece el turco Yunus Emré, aunque tal vez el hecho de que no se sepa casi nada de él permite un gran abanico de interpretaciones de su modo de ser que derivan de sus poemas. A diferencia de San Juan de la Cruz, cuya voz se dirigía a iniciados (ahí están como prueba los libros explicativos de sus poemas, no menos enigmáticos que aquéllos), el sufí era un poeta del pueblo y para el pueblo. Pero ¿entendía el pueblo realmente todo lo que decía? ¿Era capaz de seguirle en sus contradictorias afirmaciones?

Yunus, y resulta del todo sorprendente, cantaba la unión mística con el Todopoderoso desde el plano de la fe, pero situándose también en el más humano de la duda podía decir: «Buscaba a Dios y lo encontré/ ¿Y luego qué?». Yunus proclamaba la necesidad de la oración, de seguir las prácticas del culto, de sacrificar el cuerpo, de renunciar a los afectos, pero a la vez su misma experiencia mística le hacía ver la relatividad de todo ello y afirmar: «El paraíso es una trampa para atrapar a los creyentes» o «No quiero el paraíso»; Yunus, que refiriéndose al éxtasis decía: «Me he convertido en Dios, hermanos», en otros momentos imprecaba al creador: «¿Dónde está el soberano de este reino?/ He aquí el cuerpo, ¿dónde está el alma?/ Estos ojos mortales quieren verla».

Este no ver el alma es, acaso, lo que hace a Yunus Emré estar absolutamente atento a la dimensión material del hombre, a sus problemas humanos y sociales, y abogar por que se «mire con los mismos ojos a las setenta y dos naciones», pues quien no lo haga demostrará ser un rebelde frente a Dios. Semejante sabiduría la debía a dos actitudes fundamentales: la profundización en el conocimiento de sí mismo y la entrega completa al amor que fue su «guía hasta el final».

«En la interior bodega de mi amado bebí, y cuando salía/ por toda aquesta vega/ ya cosa no sabía,/ y el ganado perdí que antes seguía», escribió San Juan de la Cruz en el *Cántico espiritual*, de tono tan distinto a los poemas de Yunus Emré, sugeridor, enigmático y no exento de cierta exhalación erótica el primero, directos y a veces ingenuos los segundos. En todos, sin embargo, palabra y música constituyen una unidad. Yunus Emré, además, como bardo de su época, cantaba sus versos.

Nunca he visto cantar a un sufí, es cierto, pero veo a Yunus por los caminos de Anatolia entonando sus poemas acompañándose de aquel instrumento, el *çeste*, que le enseñara a tocar su maestro, y, sin dificultad, veo a sus seguidores coreándole y repitiendo sus estribillos hasta que pasaron al acervo de la lengua como refranes. Aquel cantar, como aquella danza de los giróvagos, no sólo insertaba a los místicos en el espacio, sino que les permitía también cruzar los tiempos.

1991

La labor de Solimán

Con motivo del 750 aniversario del nacimiento del poeta turco Yunus Emré, se planeó hacer una selección de poemas suyos en vistas a publicar un libro. El editor pensó en mí para ello y así fue como me vi ante una labor de traducción enormemente difícil. Vencí un mínimo titubeo inicial frente al trabajo, debido a que ya Solimán Salom editó en 1974 una breve antología del poeta, planteándomelo como homenaje póstumo.

Oigo todavía la voz de Solimán pronunciando el nombre de Yunus Emré, y lo veo a él muy elegantemente vestido (recuerdo concretamente los puños de su camisa con una breve puntilla fruncida y los ricos gemelos), leyendo un discurso con visible emoción. Un ligero temblor del papel en sus manos, su frente levemente perlada de sudor me ponían alerta, pero su voz tan clara y firme desvanecía toda otra impresión. ¿Qué acto era aquél y por qué estaba yo allí? El acto, desde luego, entrañaba un reconocimiento a la labor de Solimán y creo que tuvo lugar en el Consejo Superior de Investigaciones Científicas; y en cuanto a mi presencia en él se hallaba vinculada a mi vocación de traductora que entonces afloraba. Pero había más, había una gran simpatía por aquel hombre de fuerte contextura, ojos claros –yo diría verdes, otros dicen azules–, de andares y gestos decididos al que había visto muchas veces sin saber quién era.

Solía encontrar a Solimán en el supermercado –hablo de hace más de veinticinco años, pues llevaba a mi hija en el cochecito– y de lejos lo observaba y, al no lograr situarlo en un marco geográfico, me intrigaba. Mi intriga aumentó cuando a dos pasos de mi casa se abrió una tiendecita donde había de todo –su nombre, Todohogar, ya lo indicaba– y en ella, detrás del mostrador, y detrás de una máquina de escribir, encontré a aquel personaje. Las cosas se desarrollaban de este modo: si cuando el cliente llegaba él estaba escribiendo, podía disponerse a esperar pues no sería atendido hasta que acabara. También podía suceder que uno entrara y el hombre de detrás de la máquina, algo molesto por la interrupción, levantara los ojos del papel y le dijera directamente: «Márchese». Yo sentía tal curiosidad que seguía intentando comprar allí con la secreta esperanza de averiguar algo, pero pronto corrió una voz por el barrio: el dueño de Todohogar era un poeta turco. Y hete aquí que precisamente yo acababa de leer con entusiasmo una antología, *Poetas turcos contemporáneos* (Rialp, 1959), y di en pensar que podía haberla hecho él (como resultó en efecto) y más de una vez intenté en vano decírselo.

Al poco la tiendecita desapareció. Unas semanas después –el azar así lo quiso–, me lo presentaba Pepe Hierro, y yo atacaba directamente: le pedí que me tradujera algún poema más de Yahya Kemal, poeta de su antología que me gustaba mucho, y él accedió a darme dos poemas siempre que yo los «peinara». Así entre los dos llevamos a cabo la versión castellana de aquel hermoso *Gazel de Çubuclu*, que dice:

> ¡Tira lentamente de los remos, no despiertes al claro de luna,
> No despiertes al agua sumergida en un mundo de sueños!

> Duerme la tierra en brazos de la primavera,
> ¡Que dure el sueño hasta el amanecer, que no despierte!

> ¡Que el mundo permanezca envuelto en esta música celeste!
> ¡Que ni un solo ruido se desvele en el gozo de esta noche!

¡Oh rosa, di al ruiseñor que siga quedo,
Que no turbe al amigo, ebrio de dicha en el jardín de rosas!

No vale la pena, Kemal, abrir los ojos para cerrar la vida
Deja que la heroica palabra –de este sueño– no despierte.

Luego llegaron sus traducciones de Nazim Hikmet (Visor), su biografía de este mismo poeta, la antología de Yunus Emré, su nueva selección de poetas actuales: *Once poetas turcos.* Muchas, muchas voces líricas, se pudieron leer gracias a él por primera vez en español, por ejemplo las de Cevdet Anday, Fazil Hüsnü Dag̃larca, Orhan Veli, Edip Cansever. Y, al mismo tiempo, empezó su enseñanza en la universidad: él solo, como un titán, ponía en nuestras manos toda una cultura rica y vivísima. Los que buscamos rebasar los límites de nuestros horizontes le estaremos siempre agradecidos.

Su labor culminó con una traducción que por sí sola le merecería un lugar de honor en el campo de los trasvases culturales, la de *Leyla y Mecnún* de Fuzuli. Se trata de la obra más importante de la literatura clásica turca, basada en la leyenda árabe de esta pareja, prototipo de enamorados *udríes,* leyenda que conoció cientos de versiones tanto en árabe como en persa, destacando en esta última lengua la de Nizami.

La versión de Fuzuli (siglo XVI) intensifica el aspecto místico de la historia, que lleva a la renuncia de la realización amorosa, pues el que ama alberga ya en su interior al amado por lo que no necesita ni de su proximidad. Esto entronca con lo que Solimán Salom denominó la «razón escondida» del pensamiento islámico, que afirma que «la mayor sabiduría de Dios es el no dejarse ver». En efecto, Mecnún, el loco de amor, se aleja de la sociedad para, apartado y sin ver a su amada, gozar de su mundo interior en plenitud y llevar a cabo una comunión con la naturaleza tal que restablece la armonía del paraíso. Por ello él, en el desierto, convive con los animales, mientras Leyla, en su aislamiento, habla con las nubes y les confía sus penas.

Todos los temas, imágenes y metáforas típicos de la poesía amorosa del Oriente islámico aparecen en la obra de Fuzuli revitalizados, e igualmente la trama que, enriquecida con nuevos episodios y enfocada desde un punto de vista muy sutil, nos arrastra. Es una obra que se puede comparar, por su magnitud, con la *Divina Comedia:* más de cuatrocientas páginas que Solimán nos dio en verso castellano. Una labor ímproba, tan ardua como la traducción de Yunus Emré. Puedo decirlo ahora que, aunque no sé turco, sé lo que es enfrentarse con la rima silábica, los juegos fonéticos y conceptuales que conlleva y la sensación de impotencia invencible en el momento de trasladar esto a otra lengua en el papel.

1991

El perfume

«El que eligió en el jardín/ el jazmín, no fue discreto/ que no tiene olor perfeto/ si se marchita el jazmín./ Más la rosa hasta su fin/ porque aún su morir se alabe/ tiene olor más dulce y suave,/ fragancia más olorosa.»

Estos desconcertantes versos los escribía Juan de Salinas allá en el siglo XVII en un poema que titulaba *En alabanza de la rosa en competencia con el jazmín*. Amante de las flores, sin poder decidir en este dilema, hace unos días iba gozando, digamos, del perfume de la estrofa —y preguntándome cuáles son las sustancias aromáticas que ha utilizado la humanidad a lo largo de la historia y a lo ancho de la geografía universal, en qué ocasiones, con qué finalidad, de dónde proceden, qué clases hay, son sólidos o líquidos, o se presentan en forma de humo...— y he aquí que hoy *El libro de los perfumes*, de Eugene Rimmel, me contesta. Se trata de una obra singular, seductora para el interesado por la vida cotidiana, la sensibilidad, la estética aplicada por el hombre a sí mismo, y que abre un panorama vivo, muy de trato directo con la naturaleza. Este trato, que actualmente casi se ha perdido, es, a mi juicio, el único procedimiento para descubrir la realidad del aroma.

Llegar a Córdoba cuando están los naranjos en flor o pasear al anochecer por el Retiro madrileño cuando lo están las acacias, sentarse junto a unos bancales de alhelíes, de jacintos o de narcisos *tazeta*... Y lo que sucede no llega sólo por el olfato, sino que penetra en el ser entero, envolviéndolo, formando una unidad con él. Sólo después de esta experiencia se pueden comprender las lluvias de pétalos de rosa lanzados sobre la Macarena durante las procesiones de Sevilla, los suelos alfombrados de espliego y de romero que se ven aún en algunos lugares de Toledo, los collares de jazmines, las guirnaldas de azafrán o de loto o de otras flores con las que hombres y mujeres se han adornado para celebrar las fiestas desde la Antigüedad.

Pero la palabra perfume viene de *per*, a través de, y *fumum*, humo, porque en un principio se conseguía fundamentalmente quemando maderas y resinas aromáticas (incienso, sándalo, mirra, aloe) que generaban columnas ascensionales de significado místico, lo que las hacía idóneas para las ceremonias religiosas. Todos conocemos el incienso por haberlo visto en las iglesias, solemnemente esparcido mediante ricos incensarios por manos de los sacerdotes. El quemado de maderas o resinas, con todo, no se limitaba ni se limita al ámbito religioso, hoy están a nuestro alcance varitas de sándalo que se colocan en pebeteros, y, si se viaja a determinados países orientales, se puede constatar que en una fiesta cada participante, aparte de ser rociado de colonia –costumbre antiquísima la de la aspersión–, recibe en un momento dado una gran copa humeante de incienso; hay que retenerla un poco, cerca del rostro, dejar que el aroma envuelva, y pasarla luego al compañero de tertulia. Antiguamente la aparición del incensario indicaba que la velada estaba a punto de terminar.

El olfato, decía Rousseau, «es el sentido de la fantasía», y, sin embargo, también se utilizaban perfumes para realidades tan concretas como apartar la peste o curar enfermedades, fundamentalmente las nerviosas (esto indicaban Critón e Hipócrates), o a modo de profilaxis. Hace unos siglos los médicos solían llevar un bastón con el pomo en forma de pequeña cazoleta que llenaban de perfume y olían cuando el enfermo era contagioso. Yo guardo aún el recuerdo de mis enfermedades de infancia: al atardecer aparecía mi madre con unas tiras de maravilloso papel de Armenia que quemaba en mi habitación. Era un momento de gran sosiego y alivio que yo recibía como un regalo.

Otro aspecto del perfume, otro modo de llegar a nosotros, otro cuerpo suyo, es el ungüento, el óleo, que se empleó desde tiempos remotos, entre otras cosas como preventivo. Algunos pueblos africanos se ungen con aceite de coco, aceite de palma y «una especie de mantequilla llamada *ce*», para evitar el daño del sol. Lo mismo hacían los egipcios, quienes, por cierto, inventaron el sistema de baños, importado luego por los griegos y romanos y todavía vigente entre los orientales, que consistía en abundantes abluciones tras las cuales «se embadurnaban con óleos perfumados y ungüentos, lo que igualmente daba elasticidad a la piel». Ungüentos y bálsamos se empleaban, además, para conservar los cuerpos de los difuntos, es decir para su momificación.

Finalidades más seductoras de los perfumes, y a veces temibles, eran las galantes. Con este fin los utilizó Cleopatra en su primera entrevista con Marco Antonio, Judit cuando acudió a la tienda de Holofernes, Ester al aparecer ante Asuero. Por otra parte, Kuma, el cupido hindú, se representa con un arco de caña de azúcar y cinco flechas «con la punta de cinco flores diferentes, que llegan al corazón a través de los cinco sentidos, y su dardo preferido tiene la punta de *chuta* o flor de mango». A pesar de la suavidad de los pétalos, advierte un poema, «cada dardo de punta florida de Kuma/ está cebado con el más duro diamante».

Algunas de estas cosas nos las descubre el libro de Rimel, pero hay que ir al Bazar egipcio de Estambul para saber cómo huelen realmente el almizcle, el sándalo o el ámbar en su pureza. En una de mis visitas a la capital turca me entretuve precisamente en un puesto de dicho bazar ante innumerables frascos de cristal de distintas formas con misteriosas destilaciones y dejé que el vendedor me diera a conocer los líquidos. Aquel muchacho parecía adivinar mis pensamientos y me explicaba, por ejemplo, cómo extraían el ámbar de una piedra

–el ámbar gris– que también me podía vender, o cómo elaboraban el perfume llamado *Mechmua*. Le compré varias muestras y entonces me sacó uno llamado *Harem*, «utilizado para seducir», y otro de alga marina, «para hombres». Me los llevé también para regalo, pensando ya en sus destinatarios.

Pasado un tiempo, el amigo al que envié el último me escribió: «Sacrificamos a Astarté. Es más sagrado lo más próximo al núcleo de la vida. Dios es su medio natural. El humo y el perfume son los mediadores. Así que la mujer es quien se perfuma, que es expansión, y el hombre, cuando se acerca a la mujer. El mismo perfume, los mismos perfumes. No se agradaría a la diosa blanca con un incienso solo, sino que se le ofrecerían mezclas suaves y dulces. De modo que el perfume, sobre todo, no es masculino». Para aquella carta no había respuesta, no cabía duda.

Pero la duda persiste: «Tú, que rosa y jazmín ves,/ eliges la pompa breve/ del jazmín, fragante nieve/ que un soplo al céfiro es;/ más conociendo después/ la altiva lisonja hermosa/ de la rosa...».

1991

Palacios del desierto

Me dirijo a los *ksours* de Tataouine, la zona del sur de Túnez hasta hace poco habitada por nómadas, y confío en llegar desde allí al desierto, a los *chott*, los lagos de sal. Para ello aterrizaré en la isla de Djerba de noche, cogeré un barco que me llevará al continente y seguiré en coche hasta el lugar. Sí, pasaré por Djerba a oscuras, pero ya la veo claramente mientras vuelo: un hervidero de gente, un abigarramiento de razas. Djerba es la isla de los lotófagos, de la que habla Homero: «Dañosos vientos lleváronme nueve días por el ponto, abundante en peces; y al décimo arribamos a la tierra de los lotófagos, que se alimentan con un florido manjar. Saltamos en tierra, hicimos aguada, y pronto los compañeros empezaron a comer junto a las veleras naves». Y aquellos que comieron loto no quisieron regresar. Pienso: en ocasiones vendría bien comer de ese fruto y dar sosiego a la máquina de la memoria y a unos pies como los míos que no quieren detenerse, que una vez más se lanzan a la aventura.

Pero Djerba es también la isla de los piratas. Allí mataron a más de cinco mil cristianos y con sus calaveras levantaron una pirámide. Esto no me arredra, siento de pronto que también yo he navegado en sus barcas, he subido al palo mayor, he visto las crestas azules cernerse sobre la goleta, amenazar el castillo de proa; he visto el cordaje, los cables por la amurada, el gotear de las anclas... Y en mi mente me pongo a cantar: «*Fifteen men on the dead man's chest-/ Yo-ho-ho, and a bottle of rum!*». Lo que veo por la ventanilla, en cambio, es el abismo nocturno. ¿Dónde están los mascarones maravillosos, los viejos marineros con aros en la oreja y coletas embreadas, las fabulosas embarcaciones cuyas velas se asemejan «a las desplegadas alas de un ave»?

Me basta aterrizar para comprender que hay un motivo en el aire para la leyenda de los lotófagos, es decir, para el deseo de no moverse de Djerba: se apodera de mí una gran sensación de bienestar. Debe de ser una cuestión magnética, de ondas. La noche es acogedora: nubes leves, luna en cuarto creciente, estrellas nítidas, el negro más negro, la luz puntual. Todo el camino hasta dejar la isla y después, ya en el barco, es así: un cielo comunicativo, un mar entrevisto, negro, sí, pero con el racheado mínimo del rielar de la luna. El mar de noche parece no tener límite: dura y dura esta travesía.

Después de llegar a tierra, largo viaje en coche y, al final, el hotel –el Sangao–, que es espléndido, como una pequeña ciudad de bungalows separados a lo largo de caminos donde crecen tímidas margaritas y malvas reales. Palmeras, luces bajas, silencio. Ese espacio paradisíaco queda algo apartado de la ciudad, de Tataouine. Lo veo por la mañana: hay que ir en taxi, pero es muy fácil y es un modo de conocer gente puesto que estos transportes cogen a todo el que cabe. Así llego al zoco y, de inmediato, como tengo sed, pruebo una bebida de palmera, que parece coco líquido y se llama *lagmi*.

Recorro el zoco a mis anchas: no hay ni un turista, y me detengo en los llamativos puestos de lana teñida con tintes naturales, de joyas, de cacharros de cerámica y otros utensilios populares artísticamente expuestos dentro de las tiendas de nómadas tan enormes. Las alfombras y tapices bereberes son muy bellos: dibujo blanco en fondo púrpura o negro. ¡Y las blancas telas de lana en que se envuelven los hombres, algunas con breves adornos en color en los bordes! Todo es auténtico aquí, todo está vivo. Aún cardan la lana, tejen con rueca...

Para visitar los *ksours* bereberes –una especie de habitáculos, graneros, en realidad, que se construían alrededor de una plaza y eran los reductos donde guardaban sus cosas las familias nómadas– también hay que ir en coche. El paisaje es sereno: grandes extensiones de tierra, retazos verdes, palmeras, cielo plateado con franjas rosas y naranjas. De pronto una columna de humo blanco entre las matas. Adelfas, olivos, hibiscos. El tiempo aquí es distinto debido a la amplitud del espacio. Algunos de esos *ksours* (*ksour* es el plural de *ksar*, palabra que significa, en su origen, palacio) han sido convertidos en hoteles.

El camino a seguir es complejo: Gatonga, Beni Mihre, Beni Behlal (montañas secas parcheadas de florecillas azules, violeta y amarillas –jaramago–), Hatma (higueras), Ezzahra (el primer *ksar*), Mghit (montañas sin árboles, ovejas, cabras, un pastor). Luego el Ksar Ouled Soltane, en parte reconstruido para que se vea lo que fue. Es época de fiestas y se celebran con bailes acompañados de música de flauta y tambor, y, además, reproduciendo algunas escenas del reciente pasado: cómo se elevaba el grano hasta los depósitos más altos, cómo se machacaba y elaboraba para hacer pan, cómo se trabajaba la madera y el hierro. Todo presidido por camellos y cabras. Aún tienen propietarios los graneros, son los propietarios de la memoria, de la historia del nomadismo. Hay sauces llorones por Tameresk, Mahzaria, Beni Barka...

Ahora la dirección es otra: Chenini, el lugar más hermoso. Se ve un camión cargado de piedras. Toda esta zona tiene grutas en la montaña, y la parte alta de Chenini ha sido abandonada. Pienso: las palmeras defienden la esperanza del agua, sostienen la vida, quizá por ello tienen ese simbolismo sexual en las religiones antiguas como las sumeroacadias y las persas. En Chenini también se baila y se canta: es una danza muy primitiva que se acompaña con un instrumento de cuerda, una suerte de mandolina alargada. Y las mujeres enseñan cómo se trabaja la lana: husos, ruecas, telares. Las mayores van tapadas a veces con telas coloridas y llevan tatuajes. Las jóvenes llevan joyas que caen desde el pelo como cascadas, algunas hechas de metal, otras de *ded*, una hierba silvestre que, machacada y mezclada con perfume, se usa para hacer las cuentas de los tocados y los collares bereberes de boda.

Hay que dejar atrás Ksar el Erch y luego Mdhilla y Ghousurasen para llegar a Ksar Hdada, que se ha convertido en hotel y es precioso verlo habitado. Aquí sí hay un tipo muy especial de turistas, son casi todos adolescentes extranjeros. Cierto, es una vivienda para un sueño de adolescencia, un sueño de *Las mil y una noches*.

Se inicia el crepúsculo, y mirando este cielo entiendo la relatividad del tiempo de los árabes: es el nomadismo. Nada es definitivo para el nómada y estos hombres siguen rigiéndose por el instinto de lo mutante: siempre hay que estar a punto para recoger la tienda y cambiar de lugar. En apariencia todo es igual, pero, de hecho, nada es igual, nada permanece ni un segundo.

Por la noche, de nuevo una celebración en un *ksar*, bajo un cielo negro y poblado de estrellas que parecen campanillas de plata anunciadoras de la caravana de lo invisible. Es una concentración de hombres de blanco con sus turbantes y sus ojos brillantes que escuchan y miran inmóviles unos cantos, sin duda, épicos. Su quietud y atención son escalofriantes. Es el preludio del acontecimiento fundamental, la Gran Fiesta de los Pueblos: todas las tribus de alrededor acuden a Tataouine con sus trajes típicos, desfilan y representan su historia. Horas y horas, desde el mediodía al anochecer. Con sus cabras, ovejas y perros, con sus caballos y sus camellos...

En estas regiones no hay amanecer: de pronto es de día, el sol sobre la tierra y la piedra bajo la cual el escorpión convoca al fuego. Sólo el ave rasga el espacio indiferente. La hora se deshace en dunas cambiantes hasta la línea del desierto. Hacia él me dirijo ya, como los pájaros que se ven por el Sahel que se paran en el cabo Bon, cuyo dominio sustentan los halcones. Llegaré hasta los *chott*, veré los flamencos por los *hadis*, los llamados ríos secos que alimentan los lagos de sal, extensiones de blancura, a veces líquido espejo, otras superficies de una costra cristalina que pronto se resquebraja. Veré en la distancia sin fin cómo se inicia el espejismo. Y, como los nómadas, comeré esos dátiles que hacen madurar los manantiales y los tórridos calores del Sáhara, y la fruta de los huertos que hay en los oasis.

1999

Jóvenes poetas del Yemen

En Yemen, la antigua Arabia Felix, así llamada por contraposición a la Arabia pétrea y desértica, se celebró a mediados de julio de 1990 un encuentro entre poetas árabes y españoles. Todavía resuena en mi memoria la voz del ministro de Cultura en su discurso inaugural: «En nombre de Dios clemente y misericordioso quisiera saludaros con la palabra de la luz, la palabra de la responsabilidad, de la revolución que lleva a la victoria, a la paz...». Nos hallábamos en una sala amplia flanqueada de arcos polilobulados, en mesas alargadas unos frente a otros, venciendo no sólo espacio sino tiempo, pues, en apariencia, era un mundo muy remoto el que se nos ofrecía. No resultaba difícil, sin embargo, detectar entre los asistentes a los poetas del Yemen: ojos oscuros y brillantes incrustados en caras enigmáticas, muchas de ellas enmarcadas por pelos en corola llenos de movimiento como presos del simún; caras del desierto que desmentían el traje occidental, personajes que uno veía a caballo junto a las dunas o los oasis y no sentados allí a una mesa, detrás de un micrófono.

Cuando les tocó el turno de lectura hubo que pescar el nombre al vuelo y yo lo hice apuntando al lado, para reconocerlos, breves notas: «desierto puro», «viejo jeque», «joven dulce», «joven del turbante», «poetisa triste»... me hallaba en este menester cuando me pasaron un papel: era la traducción de los poemas de uno de ellos (¿cuál?), que yo tendría que leer en voz alta cuando llegara el momento. Detuve mi curiosidad porque ahora leía la «poetisa triste». Se llamaba Nabila al-Zabir y había sido, entre los yemeníes, la única en participar en el coloquio sobre la forma poética que precedió a las lecturas. «La imagen y el significado se imponen a la forma», había dicho, «la poesía es inspiración, sensación, emoción». Fue Fanny Rubio quien nos dio a conocer su poema en castellano; era atrevido para una joven que debe mostrarse con la cabeza cubierta:

> Maravilloso resultó el amor,
> cuando pudimos perder la voluntad,
> renunciar al nido y a la pertenencia mutua
> y cambiar nuestra idea de la separación
> dándole el nombre de nueva promesa,
> y una historia de amor
> que decidimos que no fuera la última.

Después no pude resistir y miré el papel que tenía en las manos. Decía: «Alí al-Muqri: *Objetos*», y los poemas eran así:

> Las alas del pájaro tiemblan
> a lo largo de los dedos
> y de pronto se siente
> se siente el pájaro
> en el cielo del ojo,
> esconder la cabeza en el párpado de la espiga...

Ése se titulaba *Pájaro*, y otro *Libro*, y un tercero *Hilo*. En tal asombro me hallaba que se me escapó el nombre del que con prístina voz estaba leyendo entonces, uno que dialogaba con su cadáver:

> Y vaciamos las alforjas de nuestro tiempo
> contando cosas ya arrugadas de tanto repetirlas,
> delirando un poco sobre la muerte...

en el libro de visitas escribo: aquí me encontré con un cadáver vestido al modo *qarmantí,*
que daba la bienvenida a los visitantes.

Era, me enteré luego, Naguib Muqbil. El del turbante se llamaba Muhammad al-Qaud: un muchacho que trabajaba sin parar, con veinticinco años se hacía cada día la doble página cultural del diario de Saná *Az-Zawra* (La Revolución); su poema era transparente, mientras el del «joven dulce», Alí al-Hadrami, era de denso colorido («¿Qué dice el azafrán cuando arde?/ Mi poema es la hembra que me enciende,/ me engaña...») y de gran solidez el de Muhammad Husain Hartan, que se confesaba vagabundo de profesión, si bien su familia tenía rebaños.

Me impacientaba yo por dar una cara a Alí al-Muqri mientras leía Fátima al-Ubsi, cuyo poema desgarrado se impuso:

> No encontré su corazón
> sus fauces estaban más abiertas
> que las puertas de su compasión.
> Sobre sus colmillos me asenté
> y me precipité en un abismo tenebroso.

Fátima estaba divorciada, estudiaba Letras y trabajaba en la administración. Y ahora le tocaba ya a Al-Muqri y mi asombro se redoblaba: era el «desierto puro», trabajaba de corresponsal en varios periódicos árabes y tenía un libro publicado, *Ventana del cuerpo.*

La sorpresa mayor, sin embargo, estaba por llegar; era la tercera poetisa presente, Huda Alí Ablán, la más joven (nacida en 1970), de cara risueña, siempre escondida dentro de enormes gabardinas y pañuelos, siempre sentada en una esquina, sin decir palabra. Pero su poema lo abarcaba todo: la tradición y la contemporaneidad, la melodía y la imagen, la fantasía, la sugerencia:

La mañana legendaria viene.
A la espiga del corazón presta un rostro,
una esperanza fugaz,
y una tristeza que se desnuda entre mis dedos,
que hace temblar al desierto
y dispersa las caravanas.

El último día me agarré a los arabistas Carmen Ruiz Bravo y Federico Arbós para poder intercambiar opiniones. La mayoría reconocía al libanés Adonis y al palestino Mahmud Darwish como los dos mayores poetas árabes contemporáneos; unos añadían al sirio Nizar Kabbani, otros a la poetisa kuwaití Suad al-Sabah. Huda Alí Ablán me habló con entusiasmo del preislámico Antara, Nabila del abasí Abú Tammam... Huda, además, me dio un libro suyo: *Rosas de fatiga en los rasgos del rostro*, un libro que por desgracia no puedo leer.

Arabia Felix... Y hay que decirlo, casi todos ellos han nacido en los años sesenta –la poesía de sus mayores resulta más difícil de valorar– y son del Valle Verde, una región que pudimos ver todos los que allí estuvimos, como también aquellas ciudades de altas casas de adobe o piedra, unas con ventanas decoradas, otras encaladas en lo alto, las tierras volcánicas, los extensos palmerales, el *wadi* Hadramaut, las montañas fosforescentes de Seyún, y otros lugares, como aquellos poetas, próximos y remotos, evocadores de versos como los de Huda Alí Ablán:

Estoy iluminada por mis sueños.
Me armo de la presencia de la gaviota
que emerge del seno del espejismo.

1991

43

El firmamento

Dijo Dante que el amor «rige el sol y las demás estrellas». Descartes, en su *Tratado de la luz*, definía la flama como un movimiento sutil análogo al que caracteriza a la luz de los astros, pero en la noche negra, para el ojo profano, las luminarias aparecen frías y envueltas en una quietud que no perturba su propio destello, ni siquiera en su punto privilegiado del globo, y no es fácil captar aquellos enunciados.

Y era noche negra, y era en Adén. A la orilla del Índico se contraponían dos densidades de oscuridad, el océano –apenas la leve luz, acaso de un faro, apuntaba la costa en la lejanía–, y el cielo, donde se definían nítidas las constelaciones. Inmensa, majestuosa y rozando el agua, como al alcance de la mano, la de Escorpión dibujaba su figura presidida por una estrella rosa más intensa que las demás, Antares. Ante dicha visión, mientras los pies se hundían en la arena y la mano en el breve oleaje, se perdía la conciencia del límite y se sentía la dimensión cósmica. Es el Oriente, me decía yo, y por mi cabeza desfilaban las tríadas sumeria (Zuen, Inanna y Utu) y acadia (Sin, Ishtar y Shamash), la diorita donde está escrito el Código de Hammurabi, presidio por el dios Sol, el retrato del rey asirio Asurnasirpal, rodeado de cuerpos celestes, los emblemas de Barrekup, la estela hitita de Hattussas...

Aquellas tríadas, formadas por los dioses de la Luna, Venus

y el Sol, poblaron los más antiguos poemas: «Para Sin y para Shamas el día y la noche/ fueron hechos en partes iguales; [...] En ese lugar, Ishtar, elévate tú/ a la realeza sobre todos ellos», dice el texto de la *Exaltación a Ishtar*, que data, por lo menos, del siglo XI a. de C. y se engarza en la creencia mesopotámica según la cual el día y los astros fueron engendrados por la noche, la oscuridad.

«Noche negra como el azabache, rostro untado de pez;/ Marte era invisible y Saturno y Mercurio./ Mas se engalanaba la luna de otro modo;/ se preparaba para avanzar;/ oscura se hallaba en el palacio del tiempo/ adelgazando su figura y su corazón estrechamente./ De su corona tres partes eran azul oscuro;/ hendía los aires color de herrumbre y polvo», cantaba en el siglo X el persa Firdusi, autor del inmenso poema épico titulado *El libro de los reyes*. Dos momentos, dos perspectivas solían darse en la interpretación antigua del firmamento: noche y alba. Otro poeta persa, Mas 'Oud Sa'ad, nacido en Lahorre en el siglo XVI, fijó para el futuro el cielo en el momento del amanecer: «Corona la montaña un nimbo de plata/ y cubre de oro el rostro de la llanura./ La herrumbre de la oscuridad, al destello del sol, empieza a brillar como un claro espejo./ Las estrellas robaron la luz del astro del día./ Y por ello se niegan a enseñarle el rostro». Su poema titulado *Alba* no se limita a expresar lo que los ojos ven o perciben los sentidos. Concluye diciendo que los astros son despóticos y absolutos, que «encadenan a los hombres miembro a miembro». Se refiere, naturalmente, a su supuesta influencia sobre las personas, es decir, a las creencias astrológicas.

Que los astros vierten su fuerza en el centro de la tierra y producen oro y piedras preciosas, y que las hierbas, por el mismo procedimiento, quedan dotadas de una «cualidad celestial», es una idea que data de tiempos remotos. Durante siglos, la presencia del mundo celeste se detectó en relación con lo absoluto; el firmamento era el trono de Dios. En poesía tuvo todo esto un amplio eco, así la unión de Cábala, astrología y misticismo dio obras tan interesantes como el *Keter-malkut* (La

45

corona-El reino), de Ibn Gabirol. Se trata de distintos poemas que giran en torno a la descripción de los movimientos de los planetas, siempre circulares, lo cual enlaza el poeta con la búsqueda interior hacia un centro de quietud, búsqueda que se lleva a cabo siempre en círculos o espirales ya sean los cabalistas, los hindúes, Santa Teresa (Moradas) o San Juan de la Cruz (grados de ascensión) quienes la emprendan. ¿Qué rige todos estos movimientos? «Cuando el sol nace», dice Ibn Gabirol, «mi alma considera que su acción es un acto inteligente».

La noche, más que el día, revela que la mente humana se halla aún en los primeros balbuceos, busca el misterio en la oscuridad y hacia él se orientan algunos poetas. La inglesa Kathleen Raine aspira a que el absoluto, que a través del firmamento adivina, ejerza en ella su poder lustral: «Purificad/ mi pena, brillantes rayos de la luz del sol»; el griego Elitis expresa el mismo sentimiento en relación a los astros en su poema *Orión:* «¡Inteligente fulgor/ azulada distancia,/ Purificación del alma!/ Como si faltara el ruido terrenal». La música de las esferas, pues, la «música callada», como fuerza poderosa, cobra valores casi mágicos, induce a las correspondencias, a la unidad.

Música, arte que se desarrolla en el tiempo, pero se apodera del espacio del ahora: estamos en el hoy riguroso. La inseparable relación de espacio y tiempo está en la base de la teoría de Hawking. Ciencia y poesía no sólo no se oponen, sino que a veces se complementan. Los astros son, en último término, revelaciones de saber y de la noche. Parecen distantes, pero el joven poeta yemení Naguib Muqbil ve que la luna «toma un vaso de té/ en el rincón de un cafetucho».

Noche negra, sí, aquella de Adén. Y unos días después, de regreso a Madrid, por la ventanilla del avión, antes de amanecer, pude contemplar un emblema celeste: la oscuridad nocturna, pero aproximándose ya el negro al azul, y en lo alto, en el centro del cielo, la Luna en cuarto menguante; en la misma vertical, a mitad del espacio, inmenso, el lucero del alba, Venus; y abajo, delimitando el orbe de la Tierra, una franja

semicircular roja, reflejo del ardiente Sol que se hallaba todavía en su viaje nocturno. Soy poeta, que no se me pida una
demostración, pero en aquella imagen del firmamento capté
la unidad de espacio-tiempo, el espacio cuatridimensional.
Luego escribí sobre la visión un poema, un poema de amor.
Y dijo Dante...

1990

Después del silencio

Suena el teléfono y lo que se oye procedente del otro lado del hilo es tan inesperado que no entiendo ni las palabras: «¡Nagib, Nagib!», dice una voz insistente y grave, como cargada de tormenta. Sigo sin acertar, con la memoria en blanco. «¿Cómo?», pregunto. «Nagib, Adén». ¿Adén? Ahora sí, pero aún no alcanzo a reaccionar adecuadamente. Es el joven poeta yemení con el que intercambiamos cartas y poemas, y conocimientos sobre nuestros países respectivos desde hace casi un año. ¿Por qué llama? ¿Le sucede algo? Sin preámbulo digo: «¿Qué quieres?» «Nada», contesta. «Acabo de recibir tu carta del 17 de enero, el correo estaba cortado. ¿Has terminado el libro?» Se refería a una novela inspirada en su país y en algunas de las cosas que él me contaba. «Sí, lo he terminado. ¿Qué quieres?», insisto. Pero se hace muy difícil la conversación y ciertamente él no quiere nada concreto, se trata de cumplir una necesidad anímica, de restablecer el contacto enseguida, tras el silencio impuesto por la guerra.

Precisamente, interrogada sobre mi reacción ante la guerra del Golfo, contesté con la palabra «silencio», pero no me refería al establecido por la situación, si no al motivado por un profundo sentimiento de vergüenza. Había visto por entonces todo el ciclo de películas de Tarkovski, que oportunamente se proyectó en un cine de Madrid, y una de las imágenes que quedó fijada para siempre en mi mente fue la de Andréi Rubliev confesando que por defender a una mujer inocente, durante la invasión de los tártaros, había matado a un hombre. Después, al contemplar la masacre, decía: «Una vergüenza», y movido por un dolor profundo prometía no volver a pronunciar palabra.

El silencio al que ante la guerra yo me sentía empujada era el definitivo, el de la muerte, que me parecía equivalente a la negación de formar parte de un género humano, hasta tal punto carente de sentido de la responsabilidad, que se lanzaba a la locura de una destrucción de tales magnitudes y de repercusiones aún incalculables que afectarán, sin duda, a todos los elementos vivos de nuestro planeta. Esto, me decía, era lo que exigía la dignidad, ¿por qué, pues, seguía viva?

En la misma película de Tarkovski estaba la contestación a dicha pregunta: hablando del continuo sufrimiento que la vida encierra, Rubliev decía: «Pero, algunas veces, en una mirada humana, sentimos un alivio». Esa mirada, claramente, representaba el amor, que siempre es más fuerte, que abre una puerta a la esperanza.

Esa mirada, ese alivio, había empezado ya, gracias a las mismas películas del ruso: una meditación sobre la vida y sobre el hombre, que penetraba hasta los más ocultos resquicios del alma y los móviles del comportamiento: era lo que se requería en aquellos trágicos días de enero.

Luego llegaron otras «miradas». A principios de febrero me escribió el marroquí Muhammad Bennis: «La situación del mundo árabe es catastrófica, no sé qué decir, pero esta destrucción total de un pueblo y una nación no tiene justificación... Te envío algunos de mis poemas como signo de adhesión a un diálogo irreductible en el corazón de un mundo salvaje». Después pasaba por Madrid el poeta sirio-libanés Adonis, y hablaba con claridad de todos los temas candentes. «La guerra del Golfo estaba escondida como un río subterráneo de problemas», dijo. «Hay que tener en cuenta que lo que causa los problemas concretos del mundo árabe se halla en el seno del mismo mundo árabe, en la pobreza, dispersión e ignorancia del pueblo.» A la pregunta: «¿Qué podemos hacer los demás países?», contestó sin vacilar: «Luchar para que vuestras democracias sean fuertes y libres».

Ahora me llega la voz compleja, tan llena de ecos desgarrados como de destellos de esperanza, de Nagib Muqbil, y en ese no tener nada concreto que decir adivino que lo dice todo, que confirma su disposición amistosa, su confianza. Tampoco yo acierto ni siquiera a preguntarle si las aguas de sus costas siguen tan intensamente azules ni cuáles han sido los efectos de la guerra en su país. «Te escribiré», me dice. Y ante mis ojos se instala la negra noche de Adén poblada de brillantes constelaciones entre las que se verá ya claramente la de Escorpión y, de pronto, recuerdo los desiertos y las lluvias monzónicas y sé que éstas recomienzan y que en los lugares más estériles en apariencia nacerán flores hermosas, aunque su duración alcance un solo día.

1991

Adonis

¿Quién se atreve hoy a hablar del corazón?: un poeta, uno de los mayores entre los que escriben en lengua árabe, Adonis, que de paso por Madrid, tras participar en Ávila en unas jornadas sobre mística islámica, atrapado al vuelo por los directivos del Círculo de Bellas Artes, y de mano de Pedro Martínez Montávez, dio una charla y contestó a cuantas preguntas se le hicieron antes de emprender el viaje de regreso.

La personalidad y la fuerza creativa de Adonis se refleja de tal modo en su persona que se impone a simple vista, pero esta impresión, de por sí grande, resulta pálida comparada con la que causa cuando empieza a hablar. Con firmeza, seguridad, claridad y belleza fónica, que reflejan tanto al estudioso como al poeta, encauza serenamente desde el equilibrio el don de su inteligencia orientándolo a una comunicación generosa. El que lo escucha siente que recibe palabras verdaderas, como los poemas de *Canciones de Mihyar el de Damasco,* o los de *El libro de las huidas y mudanzas por los climas del día y de la noche,* o los de *Epitafio para Nueva York. Marrakech-Fez,* donde se leen estos versos de calderoniano acento: «La vida es sueño./ La muerte vigilia».

De la vida, del sueño, de la muerte y de la guerra se habló la otra tarde en el Círculo, y dijo Adonis (seudónimo de Alí Ahmad Said) cosas tan transparentes como: «Tragedias semejantes a la guerra del Golfo sólo podemos entenderlas humanamente a través de la poesía. Mientras la razón provoca la impotencia, la poesía permite conocer; es como el amor, llega al significado profundo del ser humano». «La razón –dijo también, hablando ya de poesía– es algo que todos compartimos, es lo que todos sabemos. Esto es lo que la razón ofrece, por lo que no sirve como método cognoscitivo. Conocer es conocer lo desconocido y diverso. Somos iguales en el plano de la razón, pero somos diferentes en cuanto al cuerpo. Esta diferencia viene representada en el sueño, el deseo, el éxtasis, el movimiento, la dinámica. Todo lo que el cuerpo aporta participa en una aproximación a lo desconocido; es lo que los místicos llaman *corazón*, eso cordial que representa la inclinación. La tarea del creador es la de unir lo que está en el corazón y lo que está oculto.»

Algo, pues, para Adonis, íntimamente relacionado con la visión. Seis, dijo el místico murciano del siglo XI Ibn Arabí, son las envolturas del alma cuando la gracia –el amor– mora en ella, lo que culmina con la iluminación: alma, corazón, membrana, entraña, núcleo, fondo y sangre. Y cada palabra de Adonis parece surgir de todas ellas, remontarse a la región más honda, singularmente humana –y también divina, pues él se proclama panteísta–, aquella en que el amor y la inteligencia se confunden. Breves resultaron para los asistentes las dos horas que pasamos escuchándole, y brevísimas son estas líneas para destacar siquiera uno de los puntos sobre los que versó la conversación.

1991

Escrito en arena y piedra

Trazo una espiral en la arena, la arena de Wadi Rum, y no se desvanece. Miro el oleaje de las breves dunas... Distinta es del agua esta materia suave que guarda el color de la aurora. «El agua es sabia, nada puede superarla para atacar a lo duro y a lo fuerte... puede vencer a lo inflexible, que lo débil alcanza a derrotar a lo fuerte», escribió Lao Zi. Y, con todo, aunque penetre en cualquier forma, es enormemente esquiva, huye del trazo. La arena queda un momento muy próxima, retiene por sí misma levemente la huella. Se ven ligeras líneas... Es el viento que dibuja en su superficie finas plumas hasta que las eleva en alas. Estoy en este desierto de Jordania, no distante a Áqaba, y observo ese gesto. Es un signo. Aquí todo está lleno de indicios que invitan a la contemplación silenciosa. Y en las formaciones rocosas que flanquean el no-camino hay inscripciones en nabateo, alfabeto que se remonta a cinco siglos antes de Cristo, donde la A es una X con los extremos curvos, la K es una Y, la T recuerda a la H y la H parece un ave en vuelo.

Los nabateos, según unos, descendientes del primer hijo de Ismael, Nebayot, mencionado en el Génesis, según otros, relacionados con los arameos de las orillas del Éufrates o con los «Nabayate» que citan las crónicas de Asurbanipal, eran tribus nómadas de origen árabe. Por los textos de Diodoro Sículo se sabe que en el siglo IV a. de C. habitaban en la zona de Petra, criaban ovejas y dromedarios y vivían del intercambio con las caravanas que transportaban incienso, mirra y las más costosas especias de Yemen. La imagen de sus signos tan nítidos sobre las rocas, conservados por el silencio del desierto, respetados por la erosión, une con el presente la mano que hace siglos hablaba ya desde la piedra, que la acogía con más firmeza que la arena. Algo advertían estos trazos, acaso sobre el poder de los dioses, las estaciones, el ganado que los hombres llevaban de un lado a otro, o sobre cosas concretas para los que venían de lejos en las caravanas...

Avanzar por estas extensiones de Wadi Rum, salpicadas a veces de inesperados matorrales, sobrevoladas por distantes pájaros, con las rocosas montañas formando cavidades y salientes inapelables y, algunas, convertidas en pizarra de los tiempos, es sentir la realidad de la condición humana. Es que estos parajes, aunque la arena encierre un punto acogedor, obligan a enfrentarse con el medio, porque el desierto no florece con el agua del espejismo.

Al pie le cuesta avanzar –si uno anda y no va a lomos de camello–, pero por las escarpadas rocas consigue llegar a una cima mientras se acerca el crepúsculo. Luego descubre un descenso suave. Y llega la noche y despierta el frescor y la vida: una fiesta se inicia cerca de las jaimas donde dormiré: se sirven alimentos, aparecen los narguiles, suena la música y la danza es un corro en el que todos participan –dos pasos hacia delante, una pausa, un casi paso atrás–, una rueda abierta formada por hombres y mujeres que se dan la mano.

Son beduinos los habitantes de esta región, y han acudido de los poblados cercanos, aunque este campamento está pensado para los visitantes, como yo, que discretamente contemplo el baile. Pero la oscuridad me llama y vuelvo al lugar de las arenas rosáceas, ahora reconocibles sólo al tacto, para ver en toda su amplitud los astros. Son tantos que no se puede delimitar el perfil de las constelaciones de Cefeo y las dos Osas que se ven allí todo el año, aunque, por un momento, parecen esbozarse la W de Casiopea y la estilizada línea que se curva en ángulo casi recto de la del Dragón, pero es tal el movimiento, tal el cruzar de cometas, el titilar, que pronto se pierden. El cielo parece un pulmón: respira.

«¡Oh pastor de la noche!,/ ¡mira cuál ha sido el precio/ de la aurora! [...]/ ¿Qué hace esa estrella/ para siempre prendida en el corazón de los amantes?», se lamentaba Machnún, el enamorado que, al negarle a su amada en matrimonio, se retiró al desierto para cantarla. Y ciertamente puede pastorearse esa noche, quedar uno como vigía de los astros inquietos. Pero hay que regresar, dormir en la tienda, oír la serenata de los grillos, oír... Todo el ser se transforma entonces en oído: viento, silbidos de animales, pasitos leves, ¿un zorro?, ¿un perro salvaje?... porque las avestruces han desaparecido de aquí, y también las gacelas y las panteras.

Antes de amanecer me levanto y veo las primeras huellas: zorros, parece ser, y serpientes ligeras y largas. Hermosos rastros que se extienden por la ladera de arena hasta las inmediaciones de las rocas. Con las páginas de un libro, comparó el poeta preislámico Salima Ibn Sandal al desierto. Y, de pronto, el sol, blanco, cegando las montañas, tras un instante, muy breve, durante el cual, en la extensión del paisaje, todos los matices de color se han hecho visibles, desde el marrón y el ocre al cárdeno, el rosa, el amarillo y el dorado. Éste era el momento acechado, el despertar de los colores, letras sutiles movidas por la luz escribiendo la aurora. Una vez vivido esto, puedo emprender ya el camino a Petra.

«Oigo el latido en la caja torácica/ ¡es la piedra que se abre y empuja!/ No despertéis a la piedra dormida/ no agitéis el lago de sus sueños», escribe Adonis, cuyo libro *Tocar la luz* llevo como guía secreta. Pero Petra –vista de lejos, un océano que oscila entre azules nubes– no abandona su estado que es el de ausencia evocadora, y por tanto soñadora, de algo que fue: ese extraño imperio de los nabateos, hombres que vivían en íntima relación con la tierra y que, al abandonar el nomadismo, eligieron este laberinto montañoso para asentarse. Primero lo hicieron sólo durante la estación del frío, luego se quedaron;

hallaron en su arenisca un dúctil cómplice. Llegaron a elevar sus edificaciones a tal altura artística que los últimos habitantes del lugar, los beduinos Bedl, a finales del siglo XX, consideraban sus monumentos como obra de un mago. Toda una ciudad construida partiendo de la misma montaña, excavada en ella, tallada, esculpida... Templos y cenotafios con sus columnas, pórticos, frontones triangulares y profusa decoración helenizante; arcos, ventanas, terrazas coronadas de escaleras, escaleras que parecen conducir al «no-lugar» y, sin embargo, servían para acceder a las cisternas, una de las claves de la importancia de la ciudad, cuyo sistema de conservación y conducción del agua permitía la vida en el desierto y la acogida de las caravanas.

El visitante puede ir a pie o descender en carro tirado por caballos por el desfiladero del Siq, de modo que salta y brinca con las ruedas sintiendo que de un momento a otro va a salir despedido, mientras las altas moles rocosas a ambos lados dan una sombra protectora y a la vez advierten algo, se diría que amenazan. Pero al final llega la recompensa. En efecto, como una aparición, surge El Khazneh, con su pórtico, columnas corintias y *tholos*. Y la incógnita se amplía: ¿cómo llegó a tal refinamiento ese pueblo y ahí, en ese lugar perdido? Claro que estuvo en contacto con otras culturas –griega, egipcia, romana–, pero ¿cómo sintió ese impulso de convertir la roca en deslumbrante belleza para hacerla su morada o su tumba?

A partir de El Khazneh hay que continuar andando o en burro para ascender a lo alto –más de novecientos escalones–, y el camino recorre en parte la línea de la canalización. Y siguen las tumbas, las cisternas, las casas rupestres, los restos de esculturas o bajorrelieves, como los *nefesh*, formas que culminan en triángulo y significan el espíritu de los difuntos, o los *betilos*, nichos con una piedra que representa un dios, en general Dushara. Y ya se vislumbra el teatro, al pie del cerro de Attuf, y el acueducto, más allá, cerca de las llamadas Tumbas de los Reyes.

Ese paisaje de arquitectura y relieves tallados en las montañas y de enormes huecos excavados convoca hacia lo más oculto, lo inaccesible: el centro mismo de la Tierra. Y todo nos habla, a la vez, de sus hombres, arquitectos, albañiles, yeseros, escultores, carpinteros, ceramistas, herreros, tejedores, ingenieros hidráulicos, comerciantes..., pero también de su modo de vida: viñas, huertas, rebaños, establos, talleres, caravasares... El rey nabateo más antiguo del lugar, Aretes, vivió en el siglo II a. de C., y el último, Rabel II, murió en el año 106 d. de C. Después de su muerte, Trajano creó la nueva provincia romana Arabia Petrea. Pero, tras enfrentarse con los reinos helenísticos, los judíos y los persas, Petra había empezado ya a decaer en el siglo I, cuando se intensificó el comercio por mar. Palmira pasó a ser entonces el oasis más importante de la zona.

«Fue un genocidio. Los romanos destruyeron sus canalizaciones, los dejaron sin agua», dicen. Voy ya de regreso y sigo pensando en el misterio del ser humano, en su capacidad de dominar algo tan poderoso como una montaña. Su fuerza para crear belleza, fuerza tan imperiosa como la que le impulsó a inventar la escritura.

La escritura más antigua conocida se halló en Ugarit y está constituida por signos que en nada se asemejan a las letras, tienen como forma de clavos que aparecen agrupados en distinta cantidad. Unos días después la encuentro en el Museo de Damasco. Sigo guiada por los poemas de Adonis. Lo primero que veo se halla en el verso inicial de los que cantan la ciudad: el monte Casio, donde se sitúa la lucha entre Zeus y Tifón y también la muerte de Abel en manos de Caín. Pero el poeta está ya presentando todas las puertas de la urbe: de Chaghur, de Al-Jabiya, de los paraísos, de Jayrum, cerca de la cual «crecen árboles de la ciencia que nadie ha visto nunca...», los jardines y palacios cuya «piedra es un libro que enseña la tolerancia», los rincones inesperados, cafés, zocos... No puedo seguirlo, no tengo más que un día y elijo visitar tres tumbas, y en primer lugar la de Ibn Arabí, situada en el barrio alto, en la ladera del monte, cuya arteria es una hermosa calle-mercado: puestos de verduras y frutas, sillas, material eléctrico, escobas de mijo, telas, bisutería..., y cuyas casas están muy apretadas, como lo está también la mezquita donde se hallan los restos del místico murciano.

Las otras dos tumbas que visito son la de Saladino y la de San Juan Bautista, ambas en la Mezquita Omeya; la primera fuera, junto al patio, y la segunda, para mi gran asombro, en el interior, constituyendo el punto sobresaliente en medio de esa arquitectura austera que consiste en un bosque de columnas sosteniendo arcos de medio punto, lámparas y alfombras con dibujo sobre fondo rojo. Además hay tantos fieles alrededor... Un enigma es lo que veo para mí, pero Damasco, dicen, es la ciudad más antigua del mundo y no está tan lejos del lugar donde se supone decapitaron al precursor de Cristo; por otra parte –no hay que olvidarlo– es aquella hacia la que se dirigía Saulo de Tarso cuando cayó del caballo.

Una de las salidas de la mezquita queda cerca del zoco, brillante y armonioso, rico y sobrio a la vez, dotado de una suerte de equilibrio que se detecta también en los rostros de los hombres de aquí, una serenidad... Tengo prisa y me paro solamente en los puestos de especias. Todo son sacos de condimentos, polvos rojos, amarillos, ocres, verdes..., y, de pronto, un saco lleno de capullos de rosa. Son las famosas rosas de Damasco, y con ellas aromatizan el té. «Permíteme que te presente el tiempo encerrado en esta rosa», escribe Adonis.

Pero me queda un objetivo: el museo, donde están las tablillas de Ugarit y la imagen de Anzu, un águila con cabeza de león de la antigua Mesopotamia, figurilla de oro y lapislázuli perfectamente conservada desde el 2500 a. de C. De esa época son también la estatua votiva de Iku Shamagan y la del cantor Ur-Nanshe, cuya postura es la misma que adoptan algunos cantores persas de la actualidad, ambas halladas en Mari. Milenios y siglos y distintos lugares están aquí representados, de modo que, aunque no podré ir a Palmira, veo algunas de sus tumbas y enterramientos en forma de casa o de torre; sus instrumentos, esculturas, mosaicos... Y veo también los mosaicos de Shahba (Philipolis), Latakía y Hanna. Al contemplar el que representa las alegorías de la justicia, la cultura y la filosofía (siglo III a. de C.), se hace evidente para mí lo que en el desierto parecía una fábula, la proximidad de todas las culturas de la zona y más, y, sobre todo, el intercambio entre ellas. Esto realza la importancia de las caravanas, de los viajes, del ir y venir, y volver...

Siguen más tablillas, y más piedras con incisiones en distintos alfabetos. Y se invierten los papeles: ahora, de pronto, son estas piedras las que me explican la poesía de Adonis, su vínculo con la tradición árabe desde sus orígenes, anteriores al Islam, su modo de sentirlo todo como página, texto, signo. Adonis nació en Qasabín, en la antigua Laodicea, muy cerca de Ugarit, en él se halla la memoria de las letras más antiguas de la humanidad.

La escritura de Ugarit data del 1400 a. de C. y es sintética, visualmente más próxima a la china que a la egipcia o la aramea de la que deriva la nabatea. No es de desierto, es intelectual, muy sabia, muy bien perfilada, está incisa en arcilla con gran precisión. Los signos que se hallan en las rocosas montañas de Wadi Rum o en Petra, en cambio, bailan, se inclinan, se diría movidos ellos mismos por el viento, esa A que es una X que se curva, esa N o esa CH semejantes a huellas de ave, firmes pero como dispuestas a desaparecer. Es como si confabularan con las finas arenas del desierto que, en su mansedumbre y amplitud, dejan al descubierto la relatividad o crean un paréntesis en el espacio y en el tiempo; dan testimonio de que uno y otro pueden permanecer, desvanecerse o hallarse en un perpetuo comienzo.

2006

Mujeres sin miedo

Siempre he admirado a la mujer espartana que despedía a su hijo al partir a la guerra deseándole que volviera «o con el escudo o sobre el escudo», es decir, victorioso o muerto, y he sentido como una falta de realismo –aunque Rosa Chacel, refiriéndose a ella, observa: «El hombre asume el riesgo de su vida y la mujer la responsabilidad»– la frase de Simone de Beauvoir: «La peor maldición que pesa sobre la mujer es haber sido excluida de las expediciones guerreras».

Actualmente, aunque digamos a nuestros hijos la frase espartana, en nuestra sociedad de tan borrosos y contradictorios modelos, no la sabrán interpretar. Hay todavía, sin embargo, pueblos sometidos a culturas menos «elaboradas», donde aquella frase cabría como natural, donde las mujeres, sin preámbulo de ningún tipo, llegado el momento, se han lanzado a la lucha corriendo tanto «riesgo» como en otros actos de su vida.

Riesgo y responsabilidad precisamente entraña la creación, el riesgo y la responsabilidad de la verdad, que implica el empeñar el propio ser –la vida– en la obra. Por ello, acaso, las mujeres de uno de esos pueblos son también las creadoras de su grupo, mientras el hombre se dedica exclusivamente a prepararse para la guerra. Me refiero a las mujeres afganas de idioma pashto, las cuales, siendo, en general, analfabetas, y, desde luego, careciendo de habitación propia, son depositarias de una lírica tradicional de gran belleza.

En su comunidad, guerrera por antonomasia, regida por los valores masculinos y con una ley basada en el código del honor, su condición es dura: se ocupan del rebaño, preparan la harina, cuecen el pan, hilan la lana, cosen la ropa, ponen a secar las pieles de los animales, riegan los campos, transportan en la cabeza pesados recipientes... Pero nunca se lamentan en los *landays* –así se llaman los breves poemas que cantan al ir a la fuente o en las fiestas–. Aparentemente sumisas, estas mujeres, de palabra y hecho, ostentan el orgullo de arriesgar la vida, llevando a cabo una revolución que desemboca, nos dice Sayd Bahodine Majruh, estudioso que ha rescatado su lírica, en dos testimonios: el suicidio y el canto.

En su sociedad, las muchachas son mero objeto de cambio, y un amor distinto al que ese trueque comporta es, en ellas, una falta grave castigada con la muerte. Como consecuencia, sus poemas son gritos perpetuos de separación o llamada, donde el amante aparece unido a apasionados acentos: «Dame la mano, amor mío, y partamos por los campos/ para amarnos y caer juntos bajo las cuchilladas». Al marido –que suele ser un anciano o un niño–, cuando aparece, se lo menciona, en general, como el «pequeño horrible»: «El pequeño horrible no hace nada: ni el amor ni la guerra./ Por la noche, en cuanto tiene el vientre lleno, sube a la cama y ronca hasta el amanecer».

La ironía que encierran estos versos, tono frecuente en los *landays*, es fruto de una seguridad y una rebeldía peculiares: «Oh, amor mío, si en mis brazos tiembla tanto/ ¿Qué harás cuando el entrechocar de las espadas se convierta en mil relámpagos?». Éste es, sin duda, un modo de enfrentarse a la continua amenaza de la muerte, que, por cierto, se concibe sólo como algo material. En el vocabulario pashto no hay huella de la palabra «alma», se utiliza la palabra *«sa»*, que quiere decir respiración; y cuando la vida acaba se dice que ha llegado el «final de la respiración». Por ello, en sus cantos, las mujeres se interesan fundamentalmente por el destino del cuerpo y exaltan uno de sus elementos: el corazón, sede de las emociones, al que comparan con un pájaro, una fuente de sangre o un horno que devora sus propias llamas.

La mujer pashta habla, pues, de su cuerpo y lo describe como «creciente frágil», con sus «granos de belleza como estrellas», sus «senos como granadas», siempre en el marco de lo efímero de la existencia: «Rápido amor mío, quiero ofrecerte mi boca./ La muerte ronda por el pueblo y podría llevárseme». Y siempre sin perder el humor: «Ven y sé una flor en mi pecho/ para que pueda refrescarte cada mañana con un estallido de risa». Ningún titubeo se detecta en estos versos, ningún disimulo, pues son la expresión de una mujer segura, que desconoce el miedo y desprecia la cobardía, que sabe cuál es su valor: sabe que, para que la vida siga, es tan necesario que ella siembre, teja, vaya a buscar agua a la fuente y haga el pan como que el hombre esté preparado para la lucha.

Esto explica que, sin transición, cuando tras el golpe de Estado comunista de 1978, la invasión soviética arrasó el país y se produjeron masacres como la de Kerala, donde cayeron asesinados todos los hombres (mil setecientos), fueran las mujeres las que organizaran la gran manifestación de Kabul: niñas de las escuelas y los institutos, estudiantes de enseñanza superior, maestras, empleadas y madres de familia se dirigieron al Palacio del Gobierno haciendo frente a los tanques. Nahid, una de las organizadoras de la marcha, interpeló al oficial, un miembro del partido comunista afgano, que la apuntaba con su fusil, casi con un *landay*: «¡Eh, pequeño cobarde! Puesto que eres incapaz de defender el honor, no eres hombre. Toma mi velo, póntelo en la cabeza y dame tu arma. ¡Las mujeres sabremos defender el país mejor que tú!».

El oficial disparó y Nahid cayó sin vida. Tres millones de afganos pasaron a Pakistán. En el exilio, el rostro de sus mujeres sigue siendo rebelde y orgulloso: algunas han aprendido a escribir, otras graban en cintas sus canciones para que lleguen como lazos a su tierra natal. Aunque en los *landays* actuales ya no es la risa la cifra de su desafío, la muerte sigue presente como realidad irremediable y el acento luchador no ha mermado su belleza: «–Brisa que soplas del otro lado de las montañas/ dónde combate mi amante? Qué mensaje me traes?/ –El mensaje de tu lejano amante es este olor de pólvora de cañón./ Y este polvo de las ruinas que conmigo llega».

1993

Amplios horizontes

El valle de Fergana (Uzbekistán), esa «Fergana ya roca del Cáucaso, ya envoltorio,/ cazadora y cazada», según el poeta Ceriani, que sitúa en sus puertas al cuervo de Chang-an, decidor de augurios, vio nacer hace treinta y seis años a Monâjât Yultchieva, una voz reveladora, una mujer que se nos antoja una aparición.

Fue en el Círculo de Bellas Artes, dentro del Ciclo «Músicas del Mundo», donde la vimos salir a escena alta y delgada, con un vestido en el que alternaban hilos de oro con las lenguas de colores de la tela, tocada con gorrito chinoide –como chinoides eran los rasgos de su cara–, que sólo en parte cubría el negro pelo peinado con innumerables trenzas que caían hasta rebasar su cintura... Un *rubâb* (Shawkat Mirzâev), un *ghidjak* (Ahmad Jân Dâdâev) y un *tchang* (Timur Mahmudov) la acompañaban.

Con gran modestia se sentó ella ante el atril e inició un canto en tono grave y profundo que, poco a poco, vimos, casi más que oímos –no en vano dijo Ibn Arabi: «Mi lengua contempla, mi oído habla y la mano presta atención»–, desplegarse desde su fluir mágico hasta los puntos más altos, dibujar los zigzags más atrevidos y el reverbero que caracteriza el canto de esas regiones de influencia persa. Era un canto interiorizado en el que sólo la palabra *«eshge»* permitía adivinar que se trataba de amor, sin duda el amor divino de algún texto sufí por el recogimiento de la actitud, pues sólo una estilizada mano, y de vez en cuando, se elevaba delimitando alguna nota.

Mas, poco a poco, la melodía que surgía del interior más hondo se iba remansando en la boca, que recreaba alguna vocal, la entretenía, le otorgaba distintas profundidades y matices. Era entonces imposible no identificar el canto con los rasgos de la cara y el gorrito, y también con el *ghidjak*, ese instrumento rojizo que parecía lacado, a modo de diminuta guitarra extremoriental, que se expresaba sutilmente. Todo ello hablaba de la proximidad de Mongolia o China. En efecto Uzbekistán –cuya capital es la mítica Samarkanda– se halla en plena ruta de la seda, en las estepas de Asia central y conserva una refinada música clásica transmitida oralmente de padres a hijos. Monâjât, nacida en un *kolkhoz*, destacó pronto por su voz y su intuición renovadora.

Cuando el auditorio hubo entrado ya en atmósfera de recogimiento, ella se puso en pie e inició un canto rápido y vivo, abandonó el recreo de un solo elemento fónico y se lanzó a unos melismas que recordaban el flamenco, orientando y sincopando la emisión de la voz con un platito que movía junto a su cara. La unión de lo culto y lo popular se impuso y se impuso la alegría, la fertilidad gozosa de Fergana. Acaso se trataba de un texto de Alishe Navoi, de su *Farhad y Shirin* o su *Layla y Machnún*. No podíamos adivinarlo, pero no era necesario, como tampoco lo son los augurios del cuervo de Chang-an. La voz de Monâjât nos basta: es una evidencia, que abre para los aficionados amplios horizontes.

1997

Chahram Nazerí

Quien ha escuchado a Chahram Nazerí, el cantante persa que no hace mucho estuvo en nuestra capital de la mano del Festival de Otoño, ha entrado en otra dimensión de la música y en otra dimensión de la voz. Dijo María Zambrano que la música sostiene sobre el abismo a la palabra, y así sucede, y la poesía lo demuestra; sin embargo, puede darse también que sea la palabra quien sostenga en el abismo a la música, que la haga fluctuar, la aglutine, la lance en busca del punto de equilibrio en la cuerda tensa del concepto, haga que vuelva sobre sí misma, gire ofreciendo caras nuevas, destellos inesperados o se recoja recatada. Quien ha escuchado cantar a Chahram Nazerí lo sabe, sabe que su canto es la exaltación del verbo en cuyo cuerpo está todo contenido, cuyo cuerpo lo arrastra todo, cuyo aliento se manifiesta creador.

Nazerí (Kermanchah, 1950), cantaba ya a la edad de diez años el *Masnaví* de Yalal ud-Din Rumi en las comunidades sufíes, y un año después empezaba a profundizar en la música tradicional de su país, en las sutilezas de su arte vocal tan peculiar, tan único, comparable acaso solamente al de la India. Esa envoltura de la vibración en torno a la palabra emitida, como las ondas de agua en torno al punto que la piedra cruza para ir al fondo, remite al centro –algo sale del interior para cruzar la exterioridad e ir a albergarse en otro interior– y parece transmitir estos versos: «Yo soy tú, tú eres yo, oh amigo;/ no te vayas de tu propio pecho, no te creas otro,/ no te ahuyentes de tu propia puerta» (Rumi). Parece abrir la cárcel de la materia «para que el pájaro del alma pueda elevarse en vuelo» (*ibid.*).

No sorprende: como un pájaro es esta música persa por esencia melódica y monódica, que se lanza a alear con la voz en el espacio, y en cuyo trayecto le siguen y sirven (dialogando y dejando siempre margen a la improvisación) algunos instrumentos de tipo tambor, pandero o sitar (*daf, tar* y *setar*). A Chahram Nazerí en Madrid lo acompañaron otros dos grandes maestros: Dariush Tala'i y Bijan Kamkar. Lo que unidos alcanzaron a transmitir es apenas formulable por lo extraordinario. A modo de punto de luz o de excusa, acuden a mi mente unas palabras de Hafez, de quien interpretaron un poema: «Buscaré en la copa de esmalte azul la palabra de este enigma».

1990

Hamlet persa

¿Qué sucede en escena? Si uno ha llegado con el tiempo justo y no ha leído el argumento y, además, cree que va a ver la obra que en principio estuvo anunciada, *La espada de Solimán*, no entiende nada. Los actores hablan en persa, las intervenciones de los músicos, por sugerentes que sean, son mínimas, el vestuario y la mímica, sobrios, y el espectador está ante todo perplejo, aunque no deja de reírse –los hay que lo hacen sin cesar, los que conocen la lengua– cada vez que el personaje que adivinan central –que va maquillado de negro y vestido con unos colores que hacen pensar en Arlequín– adopta posturas miméticas de un animal e inicia movimientos expresivos acompasado por el tambor. Se puede captar incluso que el lenguaje y la forma de hablar de éste son distintos, sobre todo de las de uno que de vez en cuando cruza la escena declamando palabras de sonoridad extraordinaria. Un elegante anciano, una joven melindrosa y un gordito mostachudo son los otros elementos sobresalientes del reparto.

Pero de pronto la acción se anima con las melodías del *setar*, el ritmo del tambor y el canto, y el centro de la escena es un vórtice que arremolina otros actores que se cambian de ropa allí mismo y, cantando y bailando, representan una historia ante los demás que se han sentado a contemplar. Un solo gesto, una mano que vierte en el oído regio veneno, lo aclara todo: estamos viendo *Hamlet*, y Hamlet es aquel que hace las veces de negro y, de hecho, representa al pueblo. A partir de ese momento la risa asalta también con mucha frecuencia al que no entiende las palabras pero sí la osadía y el desenfado de la interpretación popular iraní del clásico shakespeariano.

«*Mother, Mother*», dice el negrito con voz cavernosa tras mover las manos y la cabeza, de modo que uno diría que cada parte del cuerpo seguirá una dirección distinta y quedará inmovilizado por un redoble. Luego, como si tal cosa, mata a Polonio, el mostachudo, y se enfrenta al fantasma de su padre, el personaje más solemne y de hermosa dicción. Al final, como debe ser, todos mueren pero siguiendo un orden levemente alterado.

Ese teatro popular iraní data, al parecer, del siglo XV y tiene puntos en común con la Commedia dell'Arte, así el hecho de que los personajes sean fijos, entre otros Siyah, hombre negro –que con apariencia simple resulta el más atrevido contra el poder–, el maestro, la sirvienta, o Fokoly, que representa a los intelectuales. Del mismo modo el vestuario está más o menos establecido y la representación, en principio, se improvisaba sobre un texto no escrito. Que nos lleguen manifestaciones culturales como ésta es cosa extraordinaria, pero se requeriría un arropamiento de actos paralelos para que el interesado pudiera comprenderlos del todo. Hace un año escuchamos a Chahram Nazerí y quedamos seducidos; ahora, ante este *Hamlet*, divertidos y perplejos. Quisiéramos saber más y lamentamos el hecho de que salvo estas excepciones, «lo demás es silencio».

1991

Teherán

Los comienzos de la peripecia Teherán, aterrizaje y toma de contacto –exceptuada la hermosa y fugaz aparición de mi amigo Ahmad con un ramo de rosas y margaritas– son terribles: llegada a las tres de la madrugada; espera en el aeropuerto hasta las seis porque otros dos participantes, que también acaban de dejar el avión –se trata de un congreso en torno al filósofo Mollá Sadrá–, están ahí sin visado; espera luego en el hotel hasta las ocho de la mañana para que me den habitación... Entonces desayuno, logro dormir una hora, deshago la maleta, voy a comer a las doce y media, me dirijo después a la puerta porque me llevarán al lugar donde se dan las conferencias, pero no, el barbudo de turno me comunica que me van a cambiar de hotel, de modo que hago de nuevo la maleta y de nuevo me toca esperar. Se produce el cambio de hotel, la partida hacia el enorme edificio que aglutina a todos los congresistas, mas, ¡ay!, sólo llegar y aparecen dos mujeres con chador negro y me anuncian que me regalarán –para que me lo ponga– un *mantó*, es decir, un abrigo hasta los pies. Me encierran en una salita y allí me dejan. A la media hora ya no puedo soportar un minuto más de espera y me voy al hotel, subo a la habitación y me meto en la cama: intentaré dormir. Entonces empieza lo interesante: me llama un muchacho de parte de Shamlu, el gran poeta vivo de Irán al que he escrito anunciando mi llegada y del que no he recibido respuesta. El chico llama desde el hall, de modo que me visto y bajo. Está con otro, ambos son estudiantes. Shamlu quiere que vaya a su casa, vive a una hora de Teherán y hay que telefonear a otro amigo suyo, que es el contacto y tiene coche. Lo hacemos. Quedamos para dos días después sin concretar la hora. Llamarán. Yo tendré que hacer lo imposible por leer cuanto antes mi ponencia, que por cierto había sido programada para un día antes de mi llegada. Después me fugaré. Consigo leer mi texto. Nueva aparición de los estudiantes –Mohsen y Amir, se llaman– para decirme que saldremos a las tres de la tarde.

El día fijado a las tres, el otro amigo de Shamlu, Pashaí, traductor de Tagore, ensayista especializado en Zen, amigo también del cineasta Kiarostami, no llega... Mientras le esperamos surge una conversación tan viva que se me olvida la nebulosa del congreso, la aventura del *mantó* –que ya llevo puesto– y, después, la de leer mi texto: «Alba y paraíso en algunos poetas sufíes». Ese Mohsen habla con un humor... «Aquí los persas son muy tristes, ¿no?», dice. «Tienen muchas caras, la que veo ahora no lo es», digo. Habla de poesía y me enseña un libro de Maiakovski, con fotos, que ha hecho él con ordenador. Manifiesto mi asombro ante la belleza de Maiakovski. Me regala el libro. Hablamos de Lorca, del modo en que Shamlu lo dio a conocer en Irán, con una cinta donde lee sus traducciones –comprobaré en Shiraz la importancia de estas cintas–. Hablamos de música, de preferencias –Shajarián, Nazerí–, de cine, de Kiarostami, de Macmalbaf, y también de lo que ha podido suceder para que no llegue el ensayista... No, no llega, ha transcurrido casi una hora. Se van los dos chicos a telefonear. Vuelven. El coche se ha estropeado: el agua se ha puesto a hervir, ha salido humo y él ha llamado a otro amigo que tiene coche y vienen para acá. Mohsen habla excitado. Pronto sabré por qué: es la primera vez que habla en inglés. Me quedo estupefacta: lo hace muy bien, raramente se nota un blanco, una palabra que le falte. Este chico parece salido de una película de Satyajit Ray: delgado, alto, cara y color indios, grandes ojos ligeramente oblicuos, nariz pronunciada, pelo lacio y fuerte que cae por los dos lados, bigote, y ¡qué alegría en su expresión!, ¡qué entusiasmo!

Por fin llega el ensayista con otros dos, uno con bigote y pelo crespo, grandes ojos negros que miran amorosamente, el otro un joven dinámico, atlético –es el que conduce– que vive solo y enseguida me ofrece su casa: tiene espacio. Es guapo, parece italiano. Pero el que lleva la voz cantante es el ensayista. Gran desenvoltura y naturalidad, simpatía. Todos llevan máquinas de fotos y Mohsen un vídeo, y allí mismo toma ya algún plano. Muchos comentarios sobre el régimen, sobre mi llegada, el billete no recibido hasta una hora antes de despegar entregado en el aeropuerto de Roma por un misterioso barbudo que no me pide ni un documento, las conferencias en persa no traducidas del congreso, el *mantó*... ¡Qué animación allí en el coche! El único algo melancólico es el del pelo crespo: es comunista, ha estado en la cárcel –por cierto, al pasar por delante de la de Evín vemos una manifestación en protesta del encierro del alcalde–. Este comunista sería el tipo que yo estudiaría, pero no hay tiempo y, desde luego, no nos escribiremos. ¿Y los estudiantes? ¿Cómo pueden surgir esos chicos después de la Revolución islámica? Quieren reír, quieren bailar, llevan música de baile en el coche. Quieren ampliar sus horizontes culturales, se interesan por lo que sucede en todo el mundo. No es un lastre para ellos la Revolución, como lo es para los que tienen alrededor de cuarenta años. Éstos son en sí tales generadores de energía que nada les arredra.

Bien, entre bromas llegamos a casa de Shamlu. Inesperada casa: un chalet con jardín cuidado por un jardinero –rosales, petunias, árboles–, y coche tipo Patrol en la entrada. Amplio salón y gran estudio en la planta baja. Aída, su mujer, ya de cierta edad, esbelta, pelo suelto. Shamlu: una imagen poderosa de poeta doliente y contenido, con la belleza rotunda del genio. Me hace pensar en Holan, pero Holan reflejaba más el dolor. Shamlu, a pesar de la pierna amputada, es un triunfante. Pelo blanco ondulado, camisa a tenues cuadros rosa y crema.

Está sentado en silla de ruedas. Se sentía mal, está a punto de ingresar de nuevo en el hospital, tienen que volver a operarle, pero le hacía tanta ilusión verme...

Difícil hablar al principio por el respeto que todos sienten por él. Nos ofrece té con pastelillos y luego helado de café. De entrada me hace esta disparatada pregunta: «¿Se parece Aída a la de mis poemas?». No sé qué decir. Pero pronto empezamos a hablar de literatura, del libro que estoy preparando que incluirá más de treinta poemas suyos, junto a otros de Sohrab Sepehrí y de Nima, el padre de la poesía moderna iraní. Hablamos de las dificultades de traducir poesía –él es un gran experto–, del afán de comunicar un descubrimiento, y luego de los clásicos, de Firdusi, de Rumi, y también de Lorca que él considera su maestro. Y de Omar Jayyam. Dice que hay que traducir los *rubayat* de Abusaíd Abuljeir, son más interesantes incluso que los de Jayyam. Luego el poeta pregunta por el viaje. Tengo que ir a Bam, afirma.

Los amigos se van animando y hablan, a veces, sin traducirme una palabra, por lo que capto sólo las ideas generales. De pronto me piden que lea un poema y Aída saca los que le envié hace años. Luego se produce un inmeso alboroto: es la sesión de fotos y todos nos fotografiamos con todos, juntos y por separado. Se saca el vídeo. Es una algarabía alucinante. Shamlu ha traducido diez poemas míos y me los da. Entonces sirven té y fresas y se pasa al intercambio de direcciones. El del pelo crespo apunta en mi cuaderno, junto a su nombre, «*the lover* –por *lawyer*– *of Mr. Shamlu*». Nos partimos de risa. El contraste de todo esto con la atmósfera oficial es enorme. Cuando llego al hotel un barbudo me está esperando para reñirme: «¿Dónde ha estado usted todo el día? Esto es un congreso. La hemos estado buscando. La han elegido para estar en la mesa de clausura mañana, así que sea puntual». Y en efecto, con William Chittik y un profesor alemán –tres entre doscientos– estamos toda la mañana sentados junto a los ayatolás, escuchando discursos y oyendo el hermoso canto del Corán. Yo con mi *mantó* y pañuelo de seda.

«Ya estás al fin en "Irán y no volverán"», me había dicho mi amigo Ahmad la primera noche. No le había querido comunicar hasta qué punto lo sentía así tras la pesadilla de mi llegada. Ahora, en cambio, veía otras posibilidades. Él mismo se había esforzado por enseñarme lo mejor de Teherán: sus parques con esos restaurantes donde se come en una suerte de camas alfombradas sentado a la mora y oyendo buena música persa, las mezquitas, el bazar, las librerías... Pero Teherán es una ciudad nueva, sin gracia alguna, un aglomerado de rascacielos, casuchas, jardines y autovías llenas de atascos. Lo interesante, está claro, es la gente, la vida. Tentada estoy de quedarme unos días más en casa de ese guapo, pero Ahmad quiere llevarme a Ispahán y que conozca al músico Kasai y a un miniaturista y... Me iré con él, es demasiado tentador, y no volveré a decirle –era broma mía– «Irán y no volverán».

1999

Una invitación a la fantasía

Hace unos años presté a Miguel Bosé una antología de música oriental donde había una cancioncilla persa que me fascinaba. Miguel Bosé, reordenando sus discos, extravió los míos y yo, movida por el recuerdo de aquella canción, me metí un día en el Teatro Albéniz a oír el concierto del cantor persa Chahram Nazerí. Así, por una melodía perdida, entré en la cultura de Irán y me puse incluso a estudiar el farsi. Así llegué también a Teherán.

Era de noche, y desde el avión vi emerger la forma de la ciudad, y parecía que, de pronto, las estrellas se hubieran incrustado en la tierra. De día comprendí por qué: la capital eran enormes retazos de edificaciones, amplios parques, zonas de rascacielos y autovías llenas de coches... Por esto mismo, en realidad, no se podía andar por ella. De todos modos, en las urbes no cuentan sólo las calles y los edificios. Ésta, comprendí, había que conocerla poco a poco, así que, como no tenía mucho tiempo, casi de inmediato me dispuse a dejarla para ir a Shiraz, a Ispahán, a Persépolis y, a poder ser, al templo zoroastriano de Yazd y al zigurat de Khuzestán... Pero siguiendo el consejo del poeta Shamlu, empecé por Bam.

La aventura era múltiple. Me acompañaba la mujer de Ahmad, a la que acababa de conocer, Afsané, cuyo nombre sinifica «leyenda», y que no sabía más idioma que el persa, pero ya en el avión descubrimos que con las cuatro palabras que yo conocía y el diccionario podíamos hablar. Con ella, pues, empecé mi andadura fuera de la capital: un principio inimaginado, comprobar que dos mujeres solas pueden moverse por el país con tal de mantener una actitud enérgica inquebrantable.

Dejamos atrás la capital que se extiende hasta donde le permiten las montañas (la cadena de Alborz por el sur, la del Towchal por el norte, por el noroeste la alta Damavand, 5.670 metros...) y entramos en inmensos espacios que, según la luz, oscilan entre el ocre y el sepia, arena y tierras matizadas de rosa por el sol, en claras ondulaciones o ríos de intensidades diversas, que se ensanchan y se pliegan y, de pronto, se ven surcados por corrientes de blancura, oleadas que forman un mar de contenidos rompientes, un mar blanco sumiso y desolado.

Y llegamos a Kermán: primera etapa. Tras una áspera discusión con un taxista, que fue la primera experiencia de la dureza con que la mujer tiene que moverse en ese país, llegamos al hotel y, vencido otro roce inicial, dejamos nuestro breve equipaje. El sol ya declinaba, pero nos dio tiempo a visitar el baño antiguo, decorado con azulejos, y el bazar donde se veían calderos, bandejas y platos de cobre. La luz que éstos desprendían se mezclaba con la que entraba por la bóveda y envolvía a las mujeres casi más que el chador negro, que, a veces, cerraban ellas mismas mordiéndolo con la boca, de modo que dejaba ver un solo ojo. ¡Y qué ojo! Mirándolas, perdí a Afsané por un momento. Observaba que debajo de tanta negrura asomaban trajes de vivos colores. Y hete aquí que, de pronto, una joven, que venía hacia mí, abrió el manto y me dejó ver, por un instante, su cuerpo semidesnudo. Me quedé tan estupefacta que no comprendí de qué se trataba. Cuando me di cuenta, la chica había desaparecido y yo veía reflejada en un inmenso caldero mi imagen de extranjera, que, aunque tapada, tendría buenos dólares.

La noche en el hotel popular fue apacible. Cenamos lo que nos dieron, todo muy amarillo de azafrán, y luego, desde la cama, oímos cantar a un grupo de rusos que dormirían al aire libre, bajo una especie de toldos que había en el patio. Las canciones melancólicas se mezclaban con la luz mortecina que entraba por la ventana.

A las siete de la mañana del día siguiente se inició la segunda etapa de la excursión: dos horas de coche por el desierto hasta el gran oasis donde se halla la fortaleza de Bam. Cerrado calor por el extenso palmeral –productor de exquisitos dátiles–, y por los matojos verdosos que milagrosamente cubren la tierra; lo mismo al llegar a la inmensa fortificación, aunque el hombre de la entrada comentó: «Hoy está fresco el día». Es que hacía viento y atenuaba los treinta y tantos grados de las nueve de la mañana. Contuve la risa: sólo haber entendido aquella frase me merecía las horas dedicadas el estudio de la lengua. Y ahí estaban, majestuosas, las edificaciones de adobe, el bastión que empezaron a construir los partos en torno al 250 a. de C. Reconocí el espacio como aquel donde Zurlini había rodado *El desierto de los tártaros* y me investí de un sentimiento heroico. Con Afsané recorrí en silencio el lugar, sintiendo lo arduo de la lucha en estas regiones devastadoras para el enemigo. Me parecía ver un jinete perdido por sus inmensas extensiones de arena y tierra, y por las cordilleras oscuras y fantasmagóricas. La frescura llegó de vuelta a Kermán, en Mahán: el Bagh-e Tariki (Jardín histórico), lleno de surtidores naturales, donde está la arbolada tumba del sabio sufí Nematollah, la más lujosa de cuantas vería, porque, tras regresar a Teherán, fui a Ispahán y a Shiraz.

De aquel lugar de leyenda, como el nombre de mi compañera, aquel paisaje desolado y solitario, que despertaba en mí el espíritu heroico, pasaba a los puntos de encuentro frecuentados por los iraníes, lugares de peregrinación donde reposan los restos de sus místicos más conocidos. Shiraz, la ciudad de las rosas –a la que, dicen, debemos nuestro Jerez–, es también la de Hafez, el poeta, cuya vocación creadora pasaba por encima de su misticismo, el grande entre los grandes, cuyo saber le llevaba a la filigrana de que cada uno de los versos de un poema, además de estar integrado en el poema, tuviera sentido también por sí mismo. Por ello es plural la interpretación de su escritura. Esto es lo que hace que sus versos se consulten en busca de consejo. Así, en la entrada de su tumba –un verdadero parque– hay hombrecillos que, recitándolo, dicen el porvenir. Hafez presenta al amado místico de noche, ofreciendo una copa de vino, y también de noche, con su especial humor, sitúa a los ángeles a la puerta de la taberna. En Shiraz están además los mausoleos de Saadi, el autor del conocido libro *Jardín de rosas*, y de Ruzbihan Baqli. Ahora iba con un grupo de estudiosos sufíes, que como yo se habían escapado del congreso. Ante las tumbas, algunos rezaban a dúo, en voz alta, mientras otros lo hacían silenciosamente, con la mano en la losa. Aquel silencio era distinto a otros, era el respeto unido a la fe.

Tras ese recogimiento interior, nos dirigimos al Hartan o Haftanan, una *tarika*, un idílico jardín, museo de piedras... La ciencia de mis compañeros sedujo de inmediato al sufí que enseñaba el lugar y pronto estuvimos unos tumbados a la sombra de un moral, otros sentados en bancos, mientras él, acompañado por un nostálgico bigotudo, tocador de laúd, recitaba con pasión poemas místicos. ¡Qué abandono reparador: la música, los árboles, las flores...! Y, ya de nuevo en la calle, niños que barrían con escobas de mijo o llevaban pan y montones de hierbas en las manos, algunos vendedores... Era viernes pero bastantes puestos del bazar estaban abiertos y, de vez en cuando, se veían mujeres vestidas de rosa, azul, amarillo, y no envueltas en lo negro: eran nómadas. Y nosotros, nómadas de unos días, seguiríamos camino, pues cerca de Shiraz está Persépolis.

Ver Persépolis al atardecer es evocar su incendio por Alejandro Magno y, a la vez, comprender que este caudillo, deslumbrado, incorporara la cultura persa. Son los restos del Imperio aqueménida, los palacios de Darío, de Jerjes, de las cien columnas, la Puerta de todas las naciones... En los relieves murales, los oferentes siguen llevando presentes al Rey de Reyes, un león sigue mordiendo a ese animal entre antílope y toro, el árbol de doce ramas, levantándose, y en la tumba de Artajerjes, el Rey rindiendo culto al fuego bajo las amplias alas del águila.

Si en este espacio inmóvil las piedras solemnes invitan al mutismo, en otros lugares, al caer el día, los hombres buscan la corriente del río para charlar. Todo es entonces sugerencia, luces reflejadas, formas adivinadas. Y también es la sugerencia lo que más llama la atención en el arte islámico. Ahora lo sé, la música persa, que parece estar naciendo en el momento en que se toca, posee las mismas cualidades, invita a completarla. Ahora lo sé, por aquella cancioncilla perdida, no sólo hallé todo esto, sino también una cara oculta de mi fantasía.

2000

Ispahán, el azul indetenible

En el avión, camino de Ispahán, volamos por encima de la luna, es decir, por la ventanilla vemos el cielo negro, algunas nubes y la luna, que, al cruzarlas, aparece y desaparece a nuestros pies. Llegar de noche es ver definida la ciudad por la negra mole del monte Zagros que la flanquea y la larga estela del río Zayandeh dibujada por las luces que refleja, adornada por los puentes iluminados; es la anchura de una ciudad de casas bajas, de calles arboladas y amables, que invitan a pasear a pesar de la oscuridad. ¡Qué diferencia con Teherán! No me atrevo a abusar de mis amigos y ahogo mi impulso vagabundo: tenemos sólo dos días y mañana hay que madrugar.

¿Qué me deparará esta ciudad, si antes de verla he rebasado ya el asombro, el hechizo de su azul que identifico con la fascinación de la música persa cuyas cualidades son las de la luz y que se expande al igual que esos tropismos generados por los azulejos? Para mí Ispahán es ese color y el reflejo del vuelo de un ave en uno de sus estanques, espejos de agua situados al pie de la fachada de mezquitas y palacios. Nunca he pensado que hay un bazar, ni que hay parques a las orillas del río; ni siquiera en el río he pensado, pero he aquí que llego y el presente es cruzar uno de sus puentes, el Sio Se Pol (de los Treinta y Tres Arcos), que va a dar a la avenida y ésta a la inmensa plaza de Nagshe-Janan (Plano del Mundo), a las mezquitas, el bazar y el palacio de Ali Qapu, ahora todo recluido por la oscuridad.

Primer día

Con la luz de la mañana lo primero es ir hacia el azul, ese turquesa que reina desde la cúpula de la mezquita de Masjid-e Shah, venciendo el predominio ocre amarillo de su oponente, Lutfollah, que, construida a comienzos del siglo XVII a modo de oratorio privado, carece de patio y de minarete, y, a pesar de su ostentosa bóveda, es pequeña y recogida. Masjid-e Shah (la Mezquita Real), que data igualmente de la época safavida, cuenta, en cambio, con varios patios. En los dos laterales hay granados, higueras, moreras blancas y rojas, malvas, margaritas, petunias, bandadas de palomas y solitarios cuervos grises que hacen dibujos fugaces en el cielo, tan inquietantes como los que arrancan los rayos del sol a la rica decoración de la fachada.

Recorro Ispahán con Afsané y Ahmad –poeta en secreto–, que adivina mis pensamientos y me ha situado de entrada en este lugar y ahora, al verme contemplar los árboles, tira de una rama y arranca una mora blanca. Me la da –nunca había probado este fruto– y empezamos ambos a tirar de otras ramas y a ponernos «morados» de moras, blancas y rojas. Yo cojo además semillas de malva naranja y al agacharme veo, allí mismo, un pedazo de azulejo caído. Lo meto en el bolsillo de mi *mantó*.

Me gusta esta mezquita, sus minaretes, sus arcos amplios, sus pilones enormes para contener agua o *shervet* con los que apaciguar la sed de los fieles, y la insistencia del azul, que no nos abandona. Estamos ante una arquitectura sabia, su cúpula produce un efecto de resonancia para amplificar la voz del orador, y las columnas, pensadas para resistir los terremotos, están dotadas de un eje central poderoso rodeado de capas de materiales parcialmente sustituibles. No hay turistas, nos movemos con calma, embebidos en el reverbero de los azulejos.

Pero he aquí que en un tramo de pared hay un dibujo con figuras. «¿Qué es esto?», pregunto sorprendida. «Son los animales lícitos y los ilícitos», dice Ahmad; así que la imagen no siempre estuvo tan prohibida...

Yo no me movería de aquí, pero mis amigos me arrastran fuera, me llevan al bazar pasando por la zona de los artesanos del cobre y pronto se oyen los martillos que le van dando forma. «Así empezó la danza», dice Ahmad. Se refiere a la de los sufíes giróvagos, cuyo creador, Rumi, la improvisó por primera vez al oír los golpes rítmicos del herrero Salah ud-Din Zarkov. Aquí son numerosos los que martillean y ese ritmo vibratorio se mezcla con el color caliente, oro rojizo, de los grandes calderos y recipientes de formas diversas que previamente, con largas tenazas, aproximan a los fuegos que salen del mismo suelo y embadurnan con una pátina plateada para poder jugar luego, tras rascar esa capa, con dos colores en los adornos. Despacio miro las piezas y me llaman la atención unas campanas grandes y chatas. Y no me contengo: hago sonar una de ellas y oigo una nota clarísima y prolongada. Efecto eco, como el de las cúpulas, pienso.

Y seguimos por el bazar, pero yo necesito una pausa, sentarme a tomar aunque sea un vaso de agua. No es posible, sólo hay teterías que son, de hecho, espacios para fumar, donde los hombres se enchufan a esas pipas de agua, los narguiles, y la atmósfera me asfixia. Tomamos una coca-cola de pie en una esquina y seguimos entre puestos de zapatos, de ropa, de joyas, cerámica esmaltada, marcos para cuadros o cajas de *khatam*, es decir, decorados con una marquetería hecha a base de minúsculos apliques de maderas de distintos colores. Vemos la habilidad con que los artesanos manejan los diminutos pinceles para decorar las piezas pequeñas con verdaderas miniaturas; vemos las telas persas típicas adoptando formas de vestidos o chaquetas, claramente para turistas. Y llegamos a los puestos de especias y frutos secos, de hortalizas... Hay unos melones chatos muy dulces que sólo se dan aquí. «¿Quieres uno?», propone Afsané. «Sí», digo yo, que no quiero perderme el placer de ir por el bazar con un melón levantado en alto en la mano derecha.

Estamos al lado de la Mezquita Djom-e (del Viernes), así que después de comer la visitamos. Esto es un bosque todo de ladrillo: inmensos pilares que culminan en arcos apuntados, espacios irregulares donde se fueron añadiendo dependencias siglo tras siglo: una muestra de la arquitectura de Irán a lo largo de mil años. Sobrias cúpulas de arcilla, mihrab de filigrana de estuco, espacio casi subterráneo imitando las tiendas de los nómadas, inscripciones cúficas estilizadas, amplio patio con estanque de mármol... Esta mezquita es inmensa, pero no nos podemos entretener: el músico Kasai, gran maestro de canto y de esa flauta de caña tan especial que es el *ney*, nos ha invitado a su casa.

Tras haber visto la morada del poeta Shamlu, tan moderna, es un contraste entrar en la del músico, en un ámbito persa tradicional: un edificio antiguo, destartalado, de altos techos, con luz fría, muebles anticuados, alfombras y alfombras por todas partes, una cama en el salón... ¡Pero la persona! Es una totalidad contundente. Dice de entrada: «Yo no tengo inconveniente en dar la mano a nadie, no soy tan ortodoxo». Y me da la mano −los iraníes tienen prohibido dársela a una mujer−. Luego me invita a quitarme el pañuelo, nos ofrece un té acompañado de *pulaquí*, azúcar quemado en forma de monedas, típico de Ispahán, y, tras enseñarnos el jardín, nos lleva al sótano, que aún es más persa si cabe: más camas por medio, más alfombras y cojines flanqueando las paredes, pero también sofás y butacas y mesas. Y varios *ney*...

Él, dice, es un *rend* (una suerte de bohemio, consecuente hasta el final con sus ideas, pero que se salta los convencionalismos sociales), y nos lo explica con poemas que recita de memoria. «Yo también soy un *rend*», digo. Y ya ha prendido la chispa. Habla de un libro de Moytaba Minaví: *Libertad y libertad de pensamiento*; cuenta la historia de su vocación que data de «poco después de nacer», debido a la afición de su padre; nos invita a un zumo de *garmak*, ese melón autóctono dulce, que yo he llevado levantado en alto; se quita un diente postizo, coge un *ney* y se pone a tocar. Le pregunto por el origen de los *dastgah*, los modos persas, y si equivalían a las horas del día como las *ragas* indias. Y él se lanza a hablar de esta música suya, de la historia; toca de nuevo, el *setar* (estilizado instrumento de cuerda); canta, se ríe de los cantores que abusan de los gorgoritos, de los que chillan; se ríe de ciertas procesiones y entona maravillosamente algo del Corán; dice que hasta la tristeza lleva a la alegría. «Pero hable usted, hable usted.» Yo le digo que su *ney* es lo más moderno que he oído entre lo iraní, que lo que hace sólo es comparable al jazz. Y él sigue, y entremezcla con el de la música todos los temas persas, leyendas, educación, forma de vida. Y vuelve a tocar y a cantar, explica un chiste, recita de nuevo un poema... No nos damos cuenta y ya ha declinado el día. Entonces se excusa porque su mujer no está y no ha podido recibirnos con todo el ceremonial. Luego se acerca a una foto suya de juventud y dice: «También por esto me excuso. No siempre he sido tan feo, he sido agradable, pero ahora hasta me han operado y me han dejado sin testículos».

Cuando salimos, Ahmad comenta: «Hemos visto lo que nadie ha visto. Nadie conoce esta cara del maestro. Lo que se sabe es que lleva veinte años sin tocar en público por causas políticas y sólo ahora, con Jatami...». Es de noche y pienso en la imagen de la luna que presidió nuestro viaje. Hoy ha sido al revés: nosotros estábamos debajo, casi bajo tierra.

Segundo día

De nuevo la mañana y tras desayunar, antes de que apriete el calor, estamos ya en la Plaza del Plano del Mundo. Hoy toca los palacios, y el primero es el de Ali Qapu. Desde lo alto del edificio, el sultán seguía el juego del polo –un invento persa– que se realizaba en la plaza, y, al asomarme a ella, me parece ver los jinetes corriendo montados en sus caballos, lanzando la pelota con los palos, y el colorido del público, y me viene a la mente un verso de Hafez, que he traducido: «¡Oh, tú, que de ámbar puro en tu cara de luna pintas un mazo, no siembres de inquietud mi desorientación y pena!». Ese mazo, evidentemente, era para darle a la pelota, símbolo del destino. El nuestro es inesperado, pienso, tampoco aquí hay turistas y podemos dejarnos invadir por toneladas de silencio bajo las cúpulas o por la extraña energía que destilan las sólidas columnas, dejar que la historia con su enigma se apodere de nosotros. La grandeza majestuosa de estos edificios, me digo, nada tiene que ver con la proporción de los mausoleos que visité con aquel grupo de estudiosos en Shiraz. Éste, con sus variantes en cada ámbito, es complejo e insinuante, así que nos rezagamos por las salas y escalinatas del original palacio.

Al fin salimos. Comemos. Y, tras un rápido vistazo al barrio armenio de Djolfa, su Catedral del Salvador y su museo, nos dirigimos al palacio de Chehel Sutun o de las Cuarenta Columnas, patio que fue de recepción, construido por el sha Abbas II en 1647. Aquí me sorprende el amplio techo policromado con incrustaciones de espejos cuyos reflejos hacen guiños, así como el estanque que está situado enfrente, y las pinturas murales, con sus figuras tan orientalizantes. Al salir pasan por mi cabeza las cien columnas de Persépolis y pregunto: «¿Dónde están las cuarenta? Yo sólo cuento dieciocho». El poeta secreto se echa a reír: «Te faltan dos, y son cuarenta, reflejadas en el agua».

El día está siendo caluroso y ya nos disponemos a visitar al miniaturista Jazi Zade Hooshang, que, de inmediato, nos lleva a su sótano. Y se agradece. Es distinto al del músico. Aquí hay una gran mesa alargada llena de bandejas de fruta, cuencos de pistacho, nueces, pasas, almendras, tetera, tazas –y no vasos–, y por las paredes sus obras, que es reacio a vender porque, dice, ¿quién las entiende realmente? Tiene razón, yo misma veo este arte desde fuera, pero no puedo dejar de admirarlo por su perfección: tres caballos que merced a sus posturas llenan un círculo, un entramado de flores pequeñas cuya repetición produce el mismo efecto de movimiento que la decoración de las mezquitas, hermosas caligrafías, ropajes sutiles, aves complejas, hadas... Se lo comento todo y me invento sobre la marcha una teoría sobre dos influencias: la china en las figuras y la india en los fondos. «¡Así es!», exclama, y empieza a contar exilios de artistas, invasiones, cambios de fronteras... ¡Dios santo! Y mientras, vamos picando frutos secos y bebiendo té. Él se ha dado cuenta de que no quito ojo al cuenco de los pistachos, que es justamente de ese color azul, emblema para mí de la ciudad, y al despedirnos me lo regala.

Cuando salimos ya es de noche. Y ahora sí, como tantos otros nos sentamos casi con los pies en el río, en el puente de Sio Se Pol, el de los Treinta y Tres Arcos, que enlaza los dos tramos de la Chahar Bagh-e Bala (Avenida de los Cuatro Jardines), la calle más importante de Ispahán. Mucha gente toma el fresco en esas gradas que parten de cada arco. Me parece estar en el agua misma mientras la miro ponerse oscura e ir acogiendo las luces que poco a poco aparecen en su seno. «Nos hemos quedado sin ver el Jardín de los Pájaros, la Madraza de Chahar Bagh, y el Museo de Historia Natural», comenta Afsané. Yo lo oigo vagamente, envuelta por un viento súbito que me levanta el pañuelo, y por el rumor de la corriente, ahora negra. Pienso que todo lo que he visto me basta: el río, los monumentos, el bazar..., y sobre todo ¡estos sótanos! ¡Y estas personas! Sí, tan inesperadas como la visión de la luna a nuestros pies, y tan vivas que aunque en apariencia estén inmóviles, como los dibujos de los azulejos, nadie las puede detener.

2000

El gallo

.

Vamos dejando atrás la noche difícil, la noche en que se comen las uvas y con ellas el tiempo de doce meses. Sin uvas, acaso por evadir esa partida de un año extraordinario, me hallaba en casa dispuesta a escribir –¿qué mejor comienzo que la continuidad?–, con un libro que sabía buen compañero de celebraciones, pues canta el vino y el amor, los *Rubayyat*, de Omar Jayyam, sobre la mesa. Las cuartillas llenas de garabatos, notas para un ensayo, empezaron a embarullarse, y al dar las doce las aparté para abrir el libro y ver cuál era su brindis: «Al alba está cantando madrugador el gallo;/ ¿Sabes a qué se deben sus gritos y lamentos?/ Dice que con su espejo la mañana te muestra/ que ha pasado otra noche de tu vida y lo ignoras». ¿Un tono tan grave en el más gozoso de los poetas persas?, me pregunté, ¿acaso por tratarse de la selección de Sadeq Hedayat, el novelista suicida, autor de *El búho ciego*?

Pero no, reflexioné, es, sin duda, sólo una advertencia inicial. Y abrí otra página: «Como no será eterna nuestra estancia en el mundo...». Todavía no se lanza, me dije, y pasé unas hojas: «Cada hierba que brota cerca de algún arroyo/ es como si brotara de los labios de un ángel...». Va cobrando confianza, pensé, sirvamos otra copa. Y abrí de nuevo el libro al azar: «A la novia del mundo pregunté por su dote/ y me dijo: –Es mi dote tu alegre corazón». Con estos versos me quedé. Me levanté y fui hacia la ventana: el cielo estaba rojizo, y en su superficie se recortó fugazmente una línea quebrada, como una cresta. Aunque tenga el corazón alegre, concluí, no hay escapatoria: ahí está el gallo madrugador, adelantándose al alba.

1994

Benarés

La ocasión ha sido un encuentro con poetisas del país en Nueva Delhi, al que asisto con Menchu Gutiérrez, pero de hecho se trata de un salto temerario: situarse de pronto en el lugar que intuitivamente se reserva para la etapa final de la vida. El intento es inusitado: acercar dos mundos que se han dado la espalda hasta ahora, porque en España no se conoce siquiera –aunque figura en la *Antología devocional de la India* de Jesús Aguado– a la clásica mística Mirabai, la princesa del siglo XVI que al enviudar se entregó al canto de Krishna por los caminos.

La ocasión, sí, ha sido el encuentro de Delhi, pero el viaje empieza luego: unos días añadidos, una breve estancia en Benarés. Y llegar a Benarés es llegar al río, al Ganges, a la madre Ganga, con la visión de cuyas aguas se hace clara en mí la intuición primera: me invade una calma de muerte; es la extensión gris, levemente argéntea al mediodía, y el silencio que multiplica su inmensidad. Del lado donde estamos, los *ghats*, altas escalinatas, palacios abandonados, templos, casas; del otro, una orilla desierta, la orilla impura –dicen–, la inalcanzable –pienso–, creada por el cauce del río que es el río de la nada, pero una nada deslumbrante, apaciguadora, que despoja de todo lo accidental, una nada que no resta sino que ensancha hasta que todo se diluye.

Sin más, echamos a andar y yo apenas veo como una proyección irreal las personas, las vacas que tranquilamente dormitan sobre el suelo de piedra, una cabra que asalta a mi compañera y recrea la imagen de una pintura antigua donde una gacela se arrima a Sakuntala, los *sadhus* quemados por el sol, ostentando un pelo hirsuto, polvoriento de ceniza, a veces con mechas resecas, pajizas, que forman un dibujo de curvas hacia lo alto, la basura amontonada por los rincones, los monos por los árboles, las cornisas, los balcones que coronan los edificios vacíos y, en dirección contraria, los pequeños altares junto al agua, el linga de Shiva y el hombre que le saca brillo, las barcas en paciente espera... Yo sigo entre río y cielo, en la ingravidez que generan estas dos fuerzas en contraste. Y es como si el río hubiera entrado en mí –no se trata de pasividad, sino de ser en el Ser–, cuando un elemento nuevo se presenta: el humo y el fuerte olor del primer crematorio.

Un hombre se acerca y nos invita a ver cómo incineran un cadáver. Casi junto al agua están formando la pira con leños perfectamente cortados y de tamaño exacto que entrecruzan en dos sentidos y en medio de los cuales echan unas maderas finas para que el fuego prenda. Llega el cadáver ya amortajado, cubierto con tela dorada y franjas de flores encima, lo sacan de las andas y lo dejan en el suelo. Aquel muchacho envuelto en lienzo blanco, al que han rasurado la cabeza dejando dos o tres mechones de pelo en la coronilla, es el hijo mayor del difunto y, como tal, va a oficiar la ceremonia. Se dirige primero a recoger las especias, entre ellas sándalo, y la mantequilla que se echan sobre el muerto. Colocan, pues, el cadáver sobre la pira, le retiran la cobertura y las flores que van a parar al agua, y empieza esa extraña aspersión. Luego el joven va a buscar el fuego. El hombre que nos invitó a quedarnos –ojos saltones, bigote y tez clara–, explica que se trata de un fuego sagrado que lleva miles de años ardiendo sin haberse apagado, y que es su hermano quien se ocupa de entregarlo. Al punto aparece el hermano y salta al espacio el mundo del mito. El hermano tiene finísima piel canela, rasgos occidentales, cabello ondulado, mirada luminosa que parece ver más allá, como si abriera un espacio en torno a uno, como si comunicara un conocimiento del que posee la clave. Lleva camisa roja como la llama y ostenta una sonrisa que al acentuarse deja ver la boca también roja por el betel. Veo la imagen de un dios con un collar macabro, que devora y arroja hombres; exhala una alegría inhumana: «Me trago el ser y vomito el dejar de ser con la belleza de un tajo limpio, la boca llena de cascabeles», parece decir. Es difícil mirarlo, se siente pudor ante ese conocimiento extraño que transmiten sus ojos. Y sigue el ritual: se enciende el fuego, empieza a prender la leña.

Hay otros tres cadáveres ardiendo en el crematorio, uno muy consumido ya, otro visible entre las llamas, el sudario quemado, un brazo se cae al suelo, luego otro fragmento de lo que fue un cuerpo y ahora sólo se adivina que lo fue. El humo que no cesa. Y el olor que se mezcla con el de la basura arrinconada, los excrementos de las vacas... No muy lejos está inmóvil un *sadhu* renegrido, rodeado de calaveras, con su tridente (el arma de Shiva que representa todos los ternarios, entre ellos la *Trimurti*), como todos los *sadhus* mediador entre este mundo y el otro. Es de los que comen carne de cadáver, oigo que dicen.

Dejamos el crematorio y subimos las altas escaleras de Kader Ghat. A la derecha el gran templo de Shiva rematado con figuras pintadas de vivos colores. Suenan las campanas, están celebrando el *arati*, ceremonia que consiste en hacer círculos con la llama ante el dios. Por la calle, cuajada de tiendecitas, hay que sortear charcos y excrementos, esquivar bicicletas y perros y vacas, mientras los ojos sucumben al colorido y al brillo de seda de los saris, impecables a pesar de tanta suciedad. La imagen del loto que crece en la ciénaga y resume la perfección aparece como cifra de esta extraña atmósfera.

Ya es de noche: las escalinatas vacías, algún canto litúrgico procedente de un *ashram*, una oración reiterada, mantras acaso, luego silencio, un silencio distinto al de la primera hora de la tarde. Se trata de una gran pausa: los olores amenguan, los colores y el abigarramiento desaparecen, apenas queda algún santón junto a un altar, algún animal...

Pero lo importante es ver el Ganges al amanecer, y a las seis y media de la mañana siguiente estamos ya en el río y compramos una *díya* –vela rodeada de flores– a una niña, Laxmi, para lanzarla encendida al agua como es costumbre. Ya hay gente bañándose, enjabonándose cabeza, brazos y torso con medio cuerpo en la corriente, las mujeres también, con sus saris empapados, cogiendo agua con breves jarritos. El río se lleva un cadáver amortajado que se aleja; luego una masa extraña, como una pequeña isla rosácea llena de cuervos. Es una vaca muerta. Veo sus patas y cómo los cuervos con sus picos van sacando a tiras la carne –la piel ha desaparecido y asoma por transparencia el volumen de algunos órganos...–. Lentamente se va aguas allá también esa forma de muerte y vida, coronada de pájaros negros de grandes alas... Y, de pronto, el sol, levemente naranja sobre un cielo gris de neblina.

Es domingo. Mi amigo Álvaro Enterría, editor afincado en Benarés desde hace años, nos ha invitado a comer. El piso se estructura alrededor de una claraboya bajo la cual hay un pequeño templo y allí nos hacen dejar las guirnaldas de flores que llevamos de regalo. No hay puertas en el salón, sí en la cocina y el cuarto de trabajo. Álvaro, casado con una india, completamente entregado a esta vida, come con la mano con gran delicadeza y sabiduría. Después subimos al terrado y contemplamos los niños que juegan con cometas, los monos que brincan por las azoteas, el color blanquecino del cielo levemente soleado, la ciudad que se extiende sin límite. Miramos hacia los *ghats* y el río; a nuestra espalda, lejos, el templo de Durga, a la derecha, hacia el centro Godoulia –con el templo de Kashi Vishwanath–, y más allá el de Bharat Mata; y más cerca el Lolarkund, un inmenso pozo de ladrillo al que bajan desde hace siglos las parejas que quieren tener hijos... Hay que ver todo esto y hay que ver también la ceremonia que hoy se lleva a cabo al anochecer, la *puja*. Recorreremos los *ghats* hasta el final y allí tomaremos una barca para regresar coincidiendo con la hora.

Hay un gentío inmenso por las escalinatas, y también muchos mendigos con su platito. Hay puestos de recuerdos, cobres en forma de hoja para poner luces, pequeños tridentes, incensarios, ristras de flores, postales, imágenes, echarpes... Y gente, y más gente, el crematorio nuevo, la leña amontonada, charcos de agua, agua bajando las escaleras, oración ante los templos, campanas... Y llegamos al extremo y allí hay una barca, una sola barca, con un niño dentro. El barquero, su padre, tiene grandes ojos tristes. Subimos. Deslizándonos en el agua vamos hasta la otra orilla: arena, una pelusa de hierba, una choza con un santón y cuatro discípulos, más arena...

Y cae definitivamente el día: hay que volver hacia los *ghats*: el movimiento de los brazos del barquero y la presión que hace con el pie izquierdo, todo el cuerpo inclinándose, enderezándose, los largos remos hundiéndose en el agua; ver agua y cielo perder la claridad. La noche se adueña del río y de los ojos de ese barquero silencioso, imagen de una tragedia, una muerte reciente, quizá, reflejada también en la ternura contenida con que se ocupa del niño; un dolor inapelable, como si remara para ir de la noche a la noche...

Pero la barca se detiene a la altura del templo principal, la *puja* ha empezado. Se oye una campana, gira un árbol encendido y se abre la vida en la oscuridad. Bosques de voces ondean y esparcen el himno de los destellos. Y se repite el toque de la campana y el giro del árbol en llamas hacia cada uno de los puntos cardinales. Su portador, el oficiante, parece romper con ello toda amenaza. Pasa una gaviota rozando nuestras cabezas. Desvío la mirada y veo que la corriente se ha ido llenando de *díyas*, esas ofrendas de luz y flores. El barquero cubre al niño con una manta y por un instante sus ojos se iluminan. Luego vuelve a la serenidad, a la desolación devorante. La imagen de este hombre es la opuesta a la del que daba el fuego perpetuo en el primer crematorio, observa Menchu y dice que sus dos rostros son los más poderosos de todo el viaje para ella. Para mí habrá un tercero: el de Laxmi, a la que llevaremos al día siguiente al templo de Durga, y le llenaremos las manos de guirnaldas para que haga la ofrenda por nosotras. Siento el latido de su corazón al acoger tantas flores, y la veneración con la que cruza el umbral, y la seriedad con la que al salir mete el índice en el polvo de color y nos traza en la frente la señal de haber orado. Luego es toda alegría mientras volvemos con el *rikso* y va saludando a sus amigos, algo inquieta porque tiene que ir a clase y ya es la hora y ella quiere aprender para no hacer ni una falta en inglés, para salir al mundo...

Pero, sobrevolando los tres rostros, Benarés es ante todo el río, esa presencia que anula el accidente, esa evidencia de un deshacerse, acaso un expandirse como el mismo universo. Incorporar la nada latente en el ser. Pasar al ser, o al no ser, sin que ese futuro comporte otra cosa que presente calma.

2006

Cientos de cascabeles

Resuenan en mis oídos cientos de cascabeles y los golpes rítmicos de los pies en el suelo. Los pies parecen llevar leves sandalias rojas, pero no, están descalzos y en la parte superior decorados con pinturas. En los tobillos las pulseras tintineantes, y las piernas y los cuerpos que se arquean recubiertos de seda de colores distintos con adornos de oro. El espacio se transforma de pronto en un iris y lo despliegan las bailarinas del Ballet Folklórico de la India que actúa en Madrid.

Las manos, con los dedos rojos en su mitad superior y una flor pintada en la palma –símbolo de la devoción– hacen figuras como de un juego de sombras. Las caras son expresivas aunque inmóviles porque esta primera danza, *Ganeshastakam*, es un baile puro, un *nritta*, y, por lo tanto, no conlleva la expresión de sentimientos o estados de ánimo *(nritya)*, sino que se centra en el movimiento rítmico y en las diferentes posiciones. Se trata de una danza clásica del sur, de estilo *Bharata natyam*.

En la India se mantiene el vínculo entre la danza y lo sagrado. Así, al fondo de la escena, sobre un estrado, se hallan los músicos, y justo en medio un gran ramo de flores que simbolizan a Brahma, protector del centro del escenario. Detrás de las flores está la cantora, Lakshimi Subramanyam, que a veces saca un cuaderno donde tiene anotados los textos del *Ramayana* o del *Mahabharata* que interpreta, mientras otras, según la danza, se limitan a entonar las sílabas que van indicando los pasos y el ritmo. La acompañan un *Mrudangan* (tambor alargado), los *Nattuvangam* (címbalos), el órgano de mano, otros tambores y un pandero tocado con baquetas.

Shiva, dios de la danza, bailó el primer *tandav* representando la unión de espacio y tiempo en la evolución, encarnando el acto genésico. El culto de la fertilidad –que exigía, de los jóvenes a él dedicados, el baile– se remonta a las más antiguas civilizaciones y existía ya en Mohenjo Daro (3000 a. de C.) donde se han encontrado figurillas de bailarinas. Éstas serían las antepasadas de las *devadisis*, hasta hace pocos años aún servidoras de los dioses en los grandes templos. Entre otras ceremonias, dos veces al día, con lámparas de aceite, conjuraban la mala suerte, y por lo mismo su compañía se consideraba benéfica.

Actualmente, aunque ya han salido de los templos, sea por el ritmo de sus gestos, sea por el color de sus atavíos o por la música que las acompaña, estas bailarinas indias parecen igualmente benéficas, y eso estriba en que inducen a la alegría. En su tierra se distinguen dos tipos de baile, el *margi*, consagrado a los dioses, y el *desi*, que se realiza por placer, y se conoce también como *tandav* o *lasya*. Éste expresa emociones, lo que unido al movimiento rítmico y al elemento dramático constituye las facetas de arte tan complejo. El estilo *Bharata natyam* incluye, por ejemplo, trece gestos de la cabeza, treinta y seis miradas, siete movimientos de los ojos, nueve de los párpados, siete de las cejas, nueve de la nuca, treinta y dos de cada pie, seis gestos de la nariz, las mejillas y el labio superior, siete de la barbilla, y cuatro posturas ideales del cuerpo en movimiento. Lo que el espectador percibe, en un principio, es un conjunto armónico, pero de hecho se puede detectar sin dificultad que en este primer baile se exponen las posiciones básicas y se siguen los ritmos de las sílabas, llamadas *sollukuttus*, y hasta podría ponerse a contarlos: ta-ka ta-ki-tá; ta-ka-dhi-mi ta-ka ta-ki-tá.

Otra danza, la llamada *Sree Krishna Leela Taramga*, de estilo *Kuchipudi*, se inicia con el *nritta* (baile puro) y pronto engarza con la danza mímica y expresiva, para acabar en algo próximo a la acrobacia, realizado con velas encendidas en la cabeza y en las manos. Ahora es el fuego el que baila al compás de las sílabas y los cascabeles que hacen sonar los pies, como en un taconeo de zapateado.

La primera bailarina, Laxman Vijayalakshmi, demuestra la perfección de su arte evolucionando sobre una tabla oval de madera que hábilmente hace avanzar y retroceder. Los colores de los focos van proyectando, sin duda, su carácter simbólico: el verde claro equivale al amor y a Visnú, el rojo a la ira y a Rudra, el naranja al heroísmo y a Indra, el amarillo a lo maravilloso y a Brahma...

Más compleja, por su mayor proximidad al teatro en la parte central, es la danza, también de tipo *Bharata natyam*, llamada *Mahishaura Mardhant*, donde se representa el triunfo de Dios sobre el diablo. Laxman Vijayalakshmi, vestida de violeta y rojo, hace una verdadera demostración de esos otros dos aspectos del *Bharata natyam*, el *natya*, o elemento dramático, y el *nritya*, o expresión de sentimientos y estados de ánimo. Es, pues, la danza más completa del repertorio, ya que el *nritta* tiene en ella una parte importantísima, a cargo de la segunda bailarina, que va de amarillo y naranja y, repetidamente, está en escena junto a la primera ofreciendo el contraste. Tras la victoria de la diosa Durga, se entra en el paroxismo rítmico y el cuerpo y la cara expresan el puro gozo.

Resuenan en mis oídos cientos de cascabeles, y veo estas bailarinas cuyos movimientos gráciles me parecen irreales. Sin darme cuenta me pongo a cantar las sílabas: ta-ka ta-ki-tá, ta-ka ta-ki-tá, y mentalmente me incorporo a esa danza, hasta tal punto que ya estoy moviendo los pies, ensayando esas miradas en semicírculo, el gesto de la cabeza hacia un lado y otro manteniendo el cuello inmóvil, los movimientos de los dedos que semejan una abeja libando en una flor de loto, la expresión exuberante de alegría... Y me dejo llevar por esta alegría, puro gozo de alentar...

1991

Raga

Hace ya unos años que murió el cineasta indio Satyajit Ray. Desde entonces estoy esperando que en la filmoteca pasen su película *El salón de música*. Un hombre siente tal entusiasmo por este arte que dilapida en él toda su fortuna hasta que su casa, antes rebosante de armónicos sonidos, se sume en el silencio. Llega un momento, sin embargo, en que él no puede resistirlo y gasta lo poco que le queda pagando a unos músicos. De nuevo resuenan las melodías por el salón durante toda la noche. Al amanecer, consciente de que no le queda nada, monta en su caballo, emprende una cabalgada desesperada y muere.

Esa película me abrió la puerta de la música india, que conocía pero sentía distante. Fue, sin embargo, el contacto directo el que me adentró en su enigma. Primero oí a un tablista. Después fue, de nuevo, la tabla, de Tapán Bhattacharya, acompañando al vocalista Devashis Dey. Y la raga empezó a abrirse paso en mí como un sutil rayo de luz, y yo empecé a estar atenta. Pasado un tiempo, Tapán y el sitarista Goswami dieron un concierto en un centro de yoga. Me puse en primera fila, al lado mismo de los músicos.

Durante la primera raga, Tapán tocaba la tambura, pero estaba en la tabla, que tocaba su hermano. Luego cambiaron instrumentos. Tapán toca con los ojos, con la boca, con los dientes, con el pelo y, por supuesto, con las manos. Los dos tambores que constituyen la tabla resuenan, retumban, llaman, gimen, insinúan, acompañan y dialogan con el sitar, ese sofisticado instrumento que tiene diecisiete cuerdas y cuyos trastes, como arcos metálicos, modulan las resonancias. Dominan las interrogaciones, las preguntas, las voces suspensas, la fluctuación, las condensaciones, desapariciones y reapariciones, el ir y venir, en esa música que se inicia como si nada, como el mismo alentar del hombre, previo a la palabra. Luego se complica, se enardece, se vuelve exaltación y paroxismo, para acabar con una nueva interrogación.

Nada está concluido, parece decir la raga, nada es separado, todo forma parte de la unidad, de la cohesión universal, y todo, a la vez, se desintegra. No hay que olvidarlo, Shiva, el dios indio que ejecuta la danza cósmica, lleva en una mano la palabra primera y en otra el fuego devorador. Hay ragas para las distintas horas del día, que expresan los distintos humores: alegría, tristeza, expectación...

Y mientras estaba allí, sentada en el suelo con las piernas cruzadas, pegadita a los músicos, recordaba la película de Satyajit Ray, y comprendía aquella pasión desbocada que había lanzado a su protagonista a la cabalgada y a la muerte.

1995

Misteriosa inteligencia

Hace cincuenta años, durante la noche del 14 de agosto, todo el pueblo de la India escuchó por radio estas palabras: «Despertad a la libertad. Tenemos una cita con el destino... En cuanto suenen las campanas de la medianoche, mientras el resto del mundo duerme, la India despertará a la vida y a la libertad. Esto significa el fin de la pobreza, la ignorancia, la enfermedad y la desigualdad de oportunidades. Vamos a construir la noble mansión de la India libre donde tendrán cabida todos sus hijos». Era el discurso de Jawaharlal Nehru, finalizado el cual se izaron las banderas de la recién nacida República de la India, tras haberse retirado las del Imperio británico.

Diez lustros han pasado y la rueda puesta en marcha no se ha detenido, por el contrario, pese a las inmensas dificultades, a los actos violentos que sucedieron a la declaración de independencia y a la pobreza, uno de los objetivos más difíciles se ha cumplido: el final de las enormes desigualdades que imponía el sistema de castas. Esto se ha producido al alcanzar la presidencia del país un paria, Kocheril R. Narayanan.

No es poco que la India haya vencido esta barrera, y no es poco el caudal de esperanza que esto representa, pero lo más importante de esta innovación es un don particular del alma del pueblo hindú, cuyo variopinto y desigual aspecto hace que, a veces, lo olvidemos: una forma de inteligencia que misteriosamente aflora en los campos más diversos, desde hace ya cuatro mil años.

Nos volvemos al terreno de las artes plásticas, al terreno literario, a los mitos, a la religión, al pensamiento o a la ciencia, siempre hallaremos un punto innovador, precoz, fundamental, que la sensibilidad india captó y ofreció al mundo. Así entre las figuras mitológicas de fuerte simbolismo, llama la atención por su colorido y belleza la que expresa la intuición de la aurora como fuente de la iluminación o inspiración, que surge en el más antiguo de los *Vedas*, el *Rig Veda*, donde se habla de la diosa del alba, Usha, que precede a Surya Savitri, la Idea causal o conocimiento supremo, imagen que reaparece luego en los mísiticos sea un Sohravadi, un Jacob Boehme, un Hal.lach o un San Juan de la Cruz, y también en Nietzsche y en María Zambrano. Por otra parte, el concepto hindú de la energía como principio de todo, que se concreta en el dios Shiva –nacimiento y muerte–, ha permitido a Fritjof Capra comparar este mito con la evolución actual de la ciencia (la relatividad y la mecánica cuántica). Tampoco son desdeñables la apertura religiosa que supone el budismo, los avances de la matemática debidos al descubrimiento indio del cero, la importancia de la relación entre cuerpo y mente, hace siglos predicada por el yoga y un sinfín de cosas más que merecerían analizarse en profundidad.

Respecto al siglo XX, es indudable que la figura capital nos la ha dado la India en la persona de Mohandas Gandhi, creador de la *satyagraha* o doctrina de la no violencia de la que él destacaba como prueba decisiva el que «después de un conflicto no violento, no quedan rencores y, tarde o temprano, el enemigo se convierte en amigo», y que definió como «la fuerza que nace de la verdad y el amor».

1997

II

Piedras, formas, nexos

Digo Rumanía

Digo Rumanía y de inmediato acuden a mi mente los versos de Bacovia:

> Reposaban profundamente los ataúdes de plomo,
> con sus flores de plomo, su funeral adorno.
> Estaba solo en la tumba... y hacía viento...
> Y crujían las coronas de plomo.

Se trata de un sentimiento de final, un final inapelable en cuanto al sucederse continuo del presente, y que encierra imágenes trágicas, sombrías, opacas. Pero en tiempos en que cierta virginidad sobrevivía, hubo semillas que se liberaron al aire y, sin duda, algunas fueron a dar en tierra fértil. Con todo no sabemos aún cómo serán las flores y los frutos del futuro, ni cuándo brotarán.

Digo Rumanía y, atravesado el gris velo de la disarmonía última, veo ya los campos de Moldavia sembrados de viñedos, de huertas; amarillos de girasoles y maíz, verdes de pastos, de retazos de arbolado, de bosques de chopos y de sauces que en silencio transmiten los versos de Gelu Naum:

> Es mucho mejor tener hojas, mucho mejor
> quedarte en cualquier parte lleno de hojas
> en cualquier parte de tu contorno de frescura.

Y, de vez en cuando, estalla el torbellino de flores (dalias, rosas, dragonarias, miosotis, margaritas, begonias) que flanquean casas también de vivo colorido. Hay gitanas por los caminos, con su pelo repartido en varias trenzas sembradas de monedas y pañuelos floreados, y pastores y campesinos con pellizas y altos gorros de astracán negro, mujeres con blusas bordadas y rueca en la mano, niños vendiendo fruta, guardando vacas. Y luego, en Iasi, la capital, un hormigueo de hombres al amanecer y, al caer la tarde, en el parque de Copou, recortándose en el escarlata, el tilo bajo el cual el poeta Eminescu escribía mientras esperaba a su amada, Verónica Micle.

Y ya el azul de los frescos de Voronet se impone al ojo, y el verde de los de Suceviza, dos templos que datan del siglo XVI, cuyas pinturas exteriores recubren todas las paredes y se conservan aún hoy en perfecto estado.

Templos, monasterios constituidos por numerosas casitas donde pueden vivir hasta trescientas o cuatrocientas monjas y los seglares pasar el verano, alfares donde se hace la famosa cerámica negra, monjes que tallan la madera de las *tissas* milenarias de los Cárpatos, ricas bibliotecas con biblias del siglo XVI, escritas en caracteres cirílicos, así la de Neamt, balnearios como el de Baile Tusand, las cooperativas agrícolas (Ghimbav, Tirgu Mures), los centros industriales (Pitesti, Brasov, Rimnicu Vilcea, Galati)... Pero en Sarmizegetusa, que fuera la capital de la Dacia romana con el nombre de Ulpia Traiana, se yergue la historia. Sobre una colina las piedras entre las que crece la hierba, que antaño fueron fortaleza, anfiteatro, templo de Némesis, foro, calle o depósito de agua, evocan la hazaña de Deceval, el rey de los dacios, que se suicidó antes de que los romanos arrasaran su capital, y el recuerdo de Trajano y la Segunda Cohorte Hispana, cuyos legionarios llevaron a cabo la conquista.

Hay también lugares de resonancia íntima, donde todo el ser de uno, desde sus más recónditos adentros, acude a la llamada. Para mí, en Rumanía, son Lancram, Tirgu Jiu y Constanza. En Lancram, coronado de mirtos, rosas y florecillas silvestres, yace el poeta y filósofo Lucian Blaga, que se definió a sí mismo como «buscando el agua/ en la que el arco iris/ absorbe su hermosura y su inexistencia». Sobre su tumba se cruzan los vientos con el canto del búho y acuden las gotas de lluvia a cederle el secreto de la luz. En Tirgu Jiu, cuna de Brancusi, son ámbitos míos el parque donde se hallan la Puerta del Beso, la Calle de las Sillas, la Mesa del Silencio, próxima a una hilera de álamos y al río de anchísimo cauce lleno de cantos blancos que se lleva el tiempo hacia la nada, y la plaza donde se eleva la Columna del Infinito; en Constanza, la griega Tomis y romana Pontus Euxinus, que acogió a Ovidio en su destierro, el oleaje negro cabalgado por los rayos lunares, y las columnas y esculturas del museo arqueológico.

Digo Rumanía y no pienso en Bucarest, ni en las Puertas de Hierro, ni en el Danubio y su delta, ni en los desfiles y las recepciones políticas, ni en los sucesos terribles y la estela brumosa que dejaron y aún no se ha disipado enteramente; pienso en las leyendas de Manole y Mioritza, en las canciones populares, los cantos de muchachas llamando al padre difunto, los bailes, las bodas festejadas por la calle con su cortejo, el rociar de colonia a los que se acercan a mirar o se incorporan a él, la botella de vino ofrecida, la alegría de génesis, la tierra fértil que dará los frutos futuros. El día de hoy, el presente, queda en suspenso, pero un puente enlaza todos los tiempos, porque, sí, hubo semillas liberadas al aire. Así lo anunció Nikita Stanescu en la última de sus elegías:

> somos semilla y nos disponemos
> solos a lanzarnos a algo
> mucho más elevado, a algo distinto
> que lleva el nombre de la primavera.

1999

Praga con el guante del crepúsculo

Praga es la luz del ocaso cruzando los altos árboles de la orilla del río Moldava y una bandada de pájaros posándose en sus ramas para quedar inmóviles mientras cae la hora. El agua avanza apacible por su cauce y se ramifica siguiendo el canal, el Čertovka, donde se halla un molino de madera, redondo y firme como el corazón o centro de un espacio mágico. El espacio es la isla de Kampa y, a ambas orillas del río, se distribuye la ciudad: de un lado el Castillo, los jardines de Wallenstein, los barrios de Mala Strana, Břevnov y Smichov, del otro lado el casco antiguo, Vyšehrad, Vynohrady...; siglos de historia desde que la reina Libuše, a principios del VII, fundara la ciudad dejándose guiar por su caballo. Los de su dinastía, los Přemislidas, levantaron la fortaleza, convertida luego en residencia real, con dos iglesias, restauradas por Carlos IV, que añadió otra, gótica, destruida por los seguidores de Jan Hus...

Praga es un atardecer en Kampa y también un ir y venir entre las dos casas donde vivió el poeta Holan, una tormenta súbita que azota las rosas rojas de su terraza, su voz nacida de la entraña de la tierra diciendo: «Cerrad la puerta, para que no entre el rayo», y la conciencia del río que está al otro lado de las rosas, bajo ese Puente de Carlos ante cada una de cuyas estatuas se detuvo él una noche de nieve y ebriedad, para deshacer el trayecto y regresar, y, acaso, ofrecer un vaso de vino a su ángel de la guarda, reunirse con el espectro de Hamlet o permitir que la mano escribiera este verso: «Ya nada presentimos/ y luego nos quedamos asombrados», sorprendente en quien lleva tantos años encerrado, aislado, morador solitario de la noche...

A través de los poemas de Holan se conoce la Praga más enigmática, la que se abre paso entre las sombras inquietantes de los faroles de gas, sube la calle Neruda o las escaleras hasta la colina, y vuela desde allí extendiéndose en las cien torres. A altas horas, la ciudad es una capa de silencio sobre las piedras del antiguo cementerio judío, los recortados perfiles de las sinagogas, la solemne forma del Teatro Nacional o las calles Bartolomejka, Karlová o Celetná, con sus casas góticas remodeladas al estilo barroco, por donde pasaba el cortejo de coronación de los reyes de Bohemia en la Antigüedad. No muy lejos, justo en la esquina de las calles Maslová y Kaprová, nació Kafka, cerca del ayuntamiento y de su reloj astronómico de principios del siglo XV. Posteriormente, el escritor, en sus paseos con Max Brod, partía siempre de la Torre de la Pólvora, punto desde el cual los pies recorren naturalmente la ciudad antigua, el barrio judío, pero él buscaba un piso con «la tranquilidad que yo necesito para escribir».

Escribir, terrible obsesión. Toda Praga ha sido escrita de punta a punta por sus poetas, aparte de Holan, Seifert, Nezval, Orten... Hermosos poemas nos dejó Nezval sobre esa ciudad que ve «con los dedos de deshollinadores de Nuestra Señora de Loreto/ con los dedos de los rododendros y las fuentes de la cabeza del pavo real/ con los dedos cortados por la lluvia y la iglesia de Tyn con el guante del crepúsculo...».

En la iglesia de San Jakub, o en cualquier otra, se pueden oír conciertos. Y es agradable, sobre todo, oír música de Mozart en la Villa Bertramka, donde el compositor vivió varias veces como huésped y compuso, en el clavecín blanco con incrustaciones doradas que todavía se conserva, obras intensas. Mozart inspiró al Nobel Seifert uno de sus ciclos poéticos más hermosos, donde dijo de su muerte: «Así sabe morir tan sólo el pájaro/ cae en picado sobre el rocío de la hierba».

Seifert nació en un barrio obrero de la ciudad, en Žižkov, pero en sus últimos años vivía en Břevnov, en un espacio ordenado, lleno de cosas bien colocadas, amplios ventanales por los que se veían grandes árboles intensamente verdes, y él con sus ojos claros y con una gran afabilidad... Sí, aunque era amigo de Holan, él vivía de día. De Holan dijo que «tiraba con desprecio sus poemas/ como trozos de carne ensangrentada./ Pero los pájaros tenían miedo».

Los pájaros, en cambio, nunca temieron al poeta Jiří Orten, que murió el día en que cumplía veintidós años, tras ser atropellado y no admitido, por judío, en ningún hospital de la Praga ocupada por los nazis. Él dejó en sus diarios el estremecedor retrato de la ciudad en este período. Sus restos yacen rodeados de frondosos árboles llenos de aves.

Pero Praga son también las cervecerías frecuentadas por Hašek y Hrabal, y el recuerdo de Hrabal, que, sin conocerme, a una pregunta mía –público anónimo de una conferencia–, me contó mi propia historia: mi encuentro con Holan y mi estudio de la lengua checa para traducir sus versos. Así pasa uno a formar parte de las sombras de esa Praga llena de fantasmas, como escribió Gustav Meyrink; así puede uno hallarse leyendo cierto artículo en una de sus bibliotecas y acercársele un desconocido con esta pregunta: «¿Es usted la que mandaba al poeta de Kampa rosas rojas el día de su santo?».

2001

Formas inquietantes

Armarios acabados en asimétricas crestas, cómodas poliédricas, camas picudas, sillas trapezoidales, onduladas, sillones bifrontes, sofás de formas irregularmente estrellada, lámparas como los mismos rayos de Zeus, estanterías como acordeónicas escalas de Jacob, candelabros como animales estilizados, teteras y tazas piramidales, cajitas como puzles, jarrones como trompetas, escritorios con patas fugitivas, vitrinas que se prolongan como en una cornamenta incipiente, y una sensación dinámica continua de planos irregulares de cristal, de madera, de bronce, de tela; juegos de rectas y curvas, de círculos y semicírculos, rectángulos, triángulos, salientes hirientes, hundimientos en vaivén... Todo esto pudo verse en la exposición «Cubismo checo. Arquitectura y Diseño, 1910-1925», que no hace tanto se exhibió en el Museo Español de Arte Contemporáneo.

Como si se adueñara de él un misterioso poder succionador, el que allí entraba recorría las salas sin detenerse. ¿O acaso esa carrera la provocaban los muebles con sus formas hostigantes, diría amenazadoras, retadoras? Pues ¿quién se atrevería a sentarse en sillas casi deslizantes, se rodearía de armarios o sofás hostiles como cardos? Y, sin embargo, se veía atrapado por la sorpresa, la fuerza de un estilo artístico, fruto de la revolución emprendida por Picasso y Braque, trasladado así al ámbito casero.

Pero, en realidad, la exposición se iniciaba con fotografías y dibujos de casas, con la arquitectura, y con algunos nombres: Josef Gocar, Pavel Janák, Vlatislav Hofman, Josef Chocol... Estos arquitectos formaban parte de los círculos vanguardistas de Praga a principios del siglo XX y, como fruto de sus visitas a París, incorporaron los conceptos cubistas y, alrededor de 1910, crearon distintas sociedades de artistas como «Munes», «Osma» y «Skupina», que se proponían revitalizar la arquitectura.

El resultado de este intento fue extraordinario. Todo lo que de inquietante tienen los muebles, lo tienen de serenidad y de aplomo las casas que, además, se integran a la perfección en el paisaje urbano, pero esto no se contradice con los puntales en que unos y otras se apoyaban: el estudio en el ámbito del movimiento de la materia, según el concepto físico de Einstein; el principio de la abstracción de Worringer y la nueva idea de la percepción visual, basada en los descubrimientos de Lipps. Pavel Janák lo expresó de este modo: «En tanto que las superficies dobles, verticales y horizontales, son una forma de la quietud y del mero equilibrio de la materia, las formas diagonales han sido precedidas de dramáticas acciones y complicadas relaciones de muchas fuerzas [...] todas las superficies que vencen a la materia físicamente son, en general, oblicuas». Al leer esto comprende uno que eran las líneas y los ángulos, su forma de trazar orientaciones en el espacio, lo que le empujaba a la carrera cuando entró en la exposición y que con ella no hacía más que cumplir lo que el arte le destinaba: ser intérprete del propósito secreto del cubismo.

1992

Cementerio judío

Leo en el periódico que han sido profanadas sesenta y siete tumbas del cementerio judío de Varsovia, una tristeza difusa se apodera de mí y, de pronto, veo una imagen, el rostro de mi amiga Adriana, con la que estuve últimamente en el nuevo cementerio judío de Praga. Hacía once años que no la veía y no le había anunciado mi visita, de modo que, al encontrarnos, todo en ella manifestaba alegría y sorpresa. Era la víspera de mi partida y me quedaba por cumplir un propósito: ver la tumba de un poeta, Jiří Orten, que, atropellado por una ambulancia nazi durante la ocupación y no admitido en los hospitales por ser judío, murió la misma víspera de cumplir los veintidós años, y cuyos impresionantes diarios he traducido, así que la cité en el cementerio.

Al entrar nos envolvió el verde sostenido por los árboles, que en distintos senderos se alejaban, y el de la hiedra: un mar en el suelo, un mar de olas quietas en la inmovilidad de la muerte. «Buscaré también la tumba de mi tío», dijo ella. Y yo la miré como si la viera por primera vez. Nunca habíamos hablado del tema ni había indicios que pudieran orientarme, y, no obstante, ahora recordaba haber visto, en otro viaje, su apellido allí, en dorada incisión sobre el basalto negro. Éste fue un pensamiento fugaz, vencido pronto por la mansedumbre de las hojas, la altura de los tilos y los arces y el silbido de un mirlo que trazaba en el aire una grieta hacia el más allá. De pronto, sin embargo, la voz de Adriana, como un hilo de fuego, se abrió paso en aquel sosegado abandono:

–Salomon Strauss, Jakub Newman, Filip Popper... Fíjate, aquí sólo dice: Falleció en el Este... Rafael Schächter. Murió en el campo de concentración de Terezin... Y mira: Mühlos Teinová, con el año de nacimiento, 1884, y en el lugar de la muerte: *nevěsné*, es decir: no se sabe.

Una vez más la miré como si no la hubiera visto, pero un petirrojo cruzó el camino y fue a posarse en el límite de unas manos orantes talladas en granito tal fruto ofrecido en la plegaria, para luego perderse entre los finos filamentos de las dulcamaras que resumían el diseño vertical de los tallos, líneas divisorias del silencio emanado por aquel mar de hiedra imbatible y solemne.

–Irma Bunzlová –seguía Adriana en quedo recitativo–, Anna Horská y Erik Kovárníc murieron en campos de concentración... Egon Rosenberg en Terezin, en el 43. Y aquí otro, también en Terezin. Y otro en Polonia..., los trasladaban a los campos de Polonia.

En la tumba del poeta leímos unos versos grabados en la piedra: «Toca, si quieres, podrás palpar lo que dura/ todo el horror, toda la felicidad». Luego nos detuvimos ante el túmulo del tío de Adriana para poco después dejar atrás el mar de hiedra. En el rostro de mi amiga la sorpresa y la alegría se mezclaban con el dolor.

–Mi prima dice que tenemos que educar a nuestros hijos en la fe, que no debemos permitir que todo esto se olvide. Pero la crueldad está en todo ser humano, es esto lo que no hay que olvidar –dijo.

Y su cara era la belleza que acoge y diluye el sufrimiento, una forma de transparencia capaz de resumir «todo el horror, toda la felicidad» que permanece más allá de la muerte, más allá de la vida.

1996

Los paseos de Kafka

Kafka vivió en Praga y Praga absorbió la forma en que sus ojos la vieron, de modo que ahora el que va a esa ciudad ve una ciudad fundamentalmente kafkiana. Meyrink, escritor vienés y amigo de Kafka, dijo que ninguna otra urbe atrae al hombre de modo tan enigmático como Praga. Y así, entre lo laberíntico y lo enigmático, se alza la que el autor de *El proceso* y *El castillo* llamó «mamaíta» porque la amaba pero necesitaba también desligarse de ella. Judío de lengua alemana, rebelde en un mundo eslavo, se sentía en él, en parte, como forastero y, en parte, como hijo legítimo, una situación inquietante que se identifica con los rasgos de la cuidad que fue testigo de su vida.

Kafka nació en la esquina de las calles Maslová y Kaprová, en pleno barrio antiguo, muy cerca del ayuntamiento –una casa gótica a la que se añadió en 1364 una torre cuadrangular y, a principios del siglo XV, se dotó de un reloj astronómico que todavía funciona–. Sin duda, de niño, Kafka se admiró de este reloj, su juego de figuras, su esfera y su calendario. Asombrado vio aparecer el esqueleto que tira de la cuerda de una campana y el desfile de los apóstoles que acompaña los toques, rematado por el cacarear de un gallo que asoma por una ventana en el momento de dar la hora, y observó también los movimientos del sol, la luna y el zodíaco medidos por la esfera circular que hay en su parte media. El futuro escritor se fijaría igualmente en la puerta y la ventana de estilo gótico flamígero con las que se renovó el edificio entre 1470 y 1480 por obra de Matěj Rejsek, autor de la Torre de la Pólvora, ese lugar que sería luego el de su cita diaria con Max Brod.

En sus paseos, acompañado por Max Brod o por otros amigos, Kafka recorrería la ciudad antigua, el barrio judío y, cruzando uno de los puentes, emprendería el ascenso hacia el castillo, el Hradčany. Los judíos, que se hallaban en Praga desde el siglo X, se habían anclado precisamente cerca de la Torre de la Pólvora, donde pronto un mercado, interesante por sus precios y productos, hizo que a su alrededor aumentaran las casas hasta formar un conjunto rodeado de murallas, que vivía en torno a la sinagoga. Junto a la Vieja-Nueva sinagoga, la más antigua de Europa, que fue construida en 1270 en estilo gótico primitivo, otras sinagogas, la llamada Alta, la de Pinkas o la Española regían la intensidad de la vida del barrio que en 1848 se incorporó a la ciudad con el nombre de Josefov, tras concederse a sus habitantes derechos cívicos y políticos.

Por todos estos lugares, entre todas estas sinagogas, paseaba Kafka –que también vivió en la calle Celetná, de casas góticas remoldeadas al estilo barroco– y, cómo no, por el antiguo cementerio, que data del siglo XV, del momento en que se abolió el que existía extramuros y se obligó a los judíos a enterrar sus muertos dentro de la ciudad.

Estas andaduras llevaban al escritor a duras reflexiones no necesariamente sobre el viejo cementerio, sino sobre los inmuebles y las mismas callejuelas llenas de edificios, a veces sórdidos, como describe en una carta a su novia Felice Bauer en 1914, en los días en que buscaba piso para casarse: «Ya desde la escalera se debate uno contra diversos olores, hay que entrar por la sombría cocina, en un rincón lloran un montón de niños, una ventana enrejada tiene el fulgor del plomo y del vidrio y las cucarachas aguardan le llegada de la noche para salir de sus agujeros. Casi no se puede entender la vida en semejantes pisos más que como el efecto de una maldición».

En 1915 aún seguía buscando piso y escribía: «¡Qué habitaciones he visto ahora también! No hay más remedio que creer que la gente, sin saberlo o adrede, se entierra en la mugre. Al menos aquí es así, se llenan de suciedad, quiero decir aparadores sobrecargados, alfombras al pie de las ventanas, construcciones de fotografías sobre los escritorios destinados a un uso impropio, cantidades de ropa blanca amontonada dentro de las camas, en los rincones palmeras de las que se ponen en los cafés, todo esto se concibe como un lujo. Pero la verdad es que a mí ninguna de estas cosas me importa nada. Yo sólo quiero una tranquilidad de la que estas gentes no tienen noción. Es muy comprensible, nadie necesita la tranquilidad que yo necesito en el hogar habitualmente para leer, para estudiar, para dormir, para nada de esto necesita nadie la tranquilidad, esa que yo necesito para escribir».

Otro de los lugares donde vivió Kafka, la callejuela del Oro, había sido aquel, según cuenta la tradición, en que habitaban los alquimistas. Ripellino en su *Praga mágica* dice: «La explicación histórica no es, sin embargo, menos atractiva que la leyenda, porque nos ofrece la imagen kafkiana de un mundo parasitario en los márgenes de un misterioso Castillo. No es casual que Kafka viviera durante algún tiempo en un "revoltijo de casuchas" miserables, pegadas la una a la otra. Pero está claro que nadie podrá borrar el vínculo legendario entre los alquimistas y la estrecha calle».

Pero Kafka sigue cambiando de casa. En una ocasión se siente deslumbrado por la magia de la ciudad. Encontró una habitación en la calle Dlouhá, en un quinto piso, con un balcón desde donde veía los tejados y las torres. La Staré Město hasta el monte San Lorenzo. Entonces anotaba: «Sin todo esto soy un ser mísero y oprimido». A pesar de ello continuó buscando sin cesar y dio luego con un sitio más agradable, un palacete en mal estado, el de los Schonborn, en la calle Trziste, lindante con Malá Straná. Alquiló uno de sus pisos más hermosos, desde cuyas ventanas veía las torres del castillo y las agujas de San Vito. Nos hallamos ya en Hradčany, cuyo ascenso no había llevado al escritor –al contrario, según observa Ripellino, que al agrimensor de su novela– a «echar raíces en el mal, en la servidumbre, en los horrores del "laberinto del mundo"».

En ese «laberinto del mundo» se movió Kafka cuarenta y un años, hasta que murió de tuberculosis en Viena, en 1924. Sus restos, sin embargo, están en Praga, en el nuevo cementerio judío, situado en la colina de Strasnice. Allá, cubierto de helechos de verde intenso y frescor vital, y rodeado de piedrecitas blancas que significan la devoción y compañía de los que creen en él, prosigue acaso sus paseos por el aire, entre las hojas de los castaños y los arces que rozan delicadamente el cielo de Praga.

1997

Moscú, el corazón de la nieve

Los bosques de abedules, extendiéndose más y más como un mar de olas rizadas por el viento, un mar de hojas de otoño, que se mece entre el verde y los pardos hasta el amarillo luminoso, casi transparente, y, de pronto, el rojo, el rojo intenso, que anuncia el color de los frutos de espino, insinuando el fuego para contraponerlo a la nieve que ya se presiente. Es octubre y el avión, tras sobrevolar estas imágenes, aterriza en el aeropuerto de Moscú y unas gotas estallan contra el cristal de la ventanilla...

Todavía no lo sé, pero ya he visto el color que para mí será emblema de la ciudad. Roja llaman a la plaza suntuosa que es su punto sobresaliente, pero el que a mí me llama es el de los árboles que veo también junto a la carretera, la cara oculta de la sangre de los abedules, del núcleo de la vida –vegetal o animal– que resiste a la helada. Y sí: empieza a nevar, vuelan copos ligeros, se van posando en la tierra, en los parterres y en las ramas desnudas de los árboles. Nieva, pero la visión de ese fuego interior es como entrar en un secreto. Me invade una extraña energía y pronto sabré que es la propia del país: se debe a la victoria sobre el frío.

El avión llegaba con tanto retraso que me han llevado directamente a la recepción de la Embajada de España. Mujeres con ligero traje de *cocktail* y zapatos de tacón (para salir se pondrán botas y pieles), elegantes, guapas, llamativas. Y también los caballeros: distinguidos, corteses. Yo: pantalón y jersey, sin maquillar, ¡qué más da!, mañana... Hoy esa cara oculta, ese filo de fuego que empieza a abrirse paso en mi interior y a decirme lo que es Rusia, lo que son sus gentes: una fuerza. Y de inmediato sucede: las personas, allí mismo, la traductora de Lorca y Juan Ramón, Natalia Malinovski, esplendor y recato; Tamara, que fue mujer de Alcaen, el hijo del escultor Alberto, cabellera gris, grandes faldas coloridas... Y, sin más, pegamos la hebra... Ella me habla de la tumba de Alberto, de cómo trabajaba; de su jardín, de la naturaleza, de los árboles, parece el espíritu mismo de los bosques que acabo de ver...

De Tamara nadie me había dicho una palabra, pero sí de Natalia. Antes de partir había llamado al director de teatro Ángel Gutiérrez, que fue niño ruso y estudió en Moscú, para que me indicara un lugar que le gustara a Tarkovski (con el que colaboró en la película *El espejo*) y él me citó cierto cementerio, «pero no puedes ir sola», dijo, y me dio dos teléfonos, el de Natalia y el de Dionisio, niño ruso como él, filósofo, pintor de iconos...

Dionisio no tardó en aparecer. Bajo, con mirada honda, nostálgica, de una profundidad tal que se hallaba siempre en el borde del abismo... Dionisio también, de pronto, encendido con la chispa de una sonrisa, con esa naturalidad del sabio que ha incorporado toda su vida: gloria y pobreza. ¿Iríamos al cementerio? Iríamos, claro. Mañana.

Las grandes avenidas interminables –seis canales en cada sentido–, la Plaza Roja, el recorrido del centro comercial, tan lleno de vida, una iglesia ortodoxa destellante de iconos, y de gente... Me asombra la reconstrucción de las iglesias con todas sus pinturas y sus cúpulas... Las tumbas de Lenin y Stalin, el Teatro Bolshoi, un inmenso edificio socialista, el legendario metro de Moscú: palacio del pueblo, con sus arañas, sus mármoles, sus esculturas, y el lujo mayor: pasa cada veinte segundos, pero siempre va tan lleno que uno no se puede sentar. Y la gente, esa elegancia natural, esa energía del cuerpo que es puro imponerse a la adversidad, eso es lo que me habían dicho también los abedules, las líneas de fuego, el rojo latiendo entre los pardos y amarillos del otoño.

Y aún veo más: la casa de un muchacho, Maxim, traductor del persa al ruso: un velada en que acabamos todos recitando y cantando mientras, afuera, el viento golpeaba los árboles, y esa nieve ligera: cero grados. No es nada para ellos, nada. Y la misma nieve sigue por la mañana. Dice Dionisio: «Es mejor que no vayamos al cementerio. ¿Donde quieres ir?». «Los iconos, ¿están aquí los de Andréi Rubliev?» Y nos encaminamos a la Galería Tretiakov y cuando llegamos ante ellos me caigo del caballo, es decir, me quedo paralizada delante de un caballo. Es blanco y lo monta San Jorge, una imagen que cruza la pintura en diagonal, toda en ese color caliente del corazón de la nieve, anunciado por los abedules, el color del fruto del espino. No puedo moverme, es una fuerza superior lo que emana de esta obra, la que se impone; es una fuerza magnética que se abre paso, penetra en mi interior y me absorbe y a la vez descarga en mí el color. Yo soy ese color. Miro el cuerpo y la cara del santo, los ojos, el cabello, la mano que sostiene la lanza, la elegancia del caballo igualmente estilizado y firme, el dragón a sus pies, retorcido y todo, todo lo que compone el fondo siendo una excusa para que ese rojo avance hasta los límites del cuadro. Permanezco en silencio. Creo que Dionisio capta lo que me sucede. Como pintor de iconos conoce estos enigmas. Pero, movida por telepatía, soy yo la que empieza a hablar de las pinturas mientras él me va llevando ante las de Rubliev, las de Feofan el Griego... Luego me habla de su libro de filosofía y yo siento que es importante, que habría que traducir esa obra de pensamiento de un niño ruso español....

El color lo encontré también el último día, en casa de Tamara. Estaba recogido en dos cestos llenos de frutos de espinos. Los tenía allí sin más, sin otro fin, recibiendo al que llegaba. Cruzar el umbral era como ver la trama de la persona: pintora, apasionada por lo popular, coleccionista de telas, juguetes, instrumentos, cerámicas... Toda la casa poblada... Diseñadora de trajes, hacedora de insólitos *patchwork*, de montajes con perchas, con raíces, troncos y hojas del jardín que se ve desde su ventana... Sí, Tamara es un espíritu del bosque, conoce los secretos de la pinaza, de las setas, de los abedules en otoño...

Hace un año de todo esto y aún tengo ante los ojos esa intensidad, oigo el viento y las gotas frías en los cristales, y late en mí el corazón de la nieve.

2003

La energía de las figuras

Las pelotas eran negras, brillantes, como de charol, subían girando por el aire y bajaban deslizándose suavemente hacia las manos rosadas abiertas, los rosados brazos extendidos, recorrían a veces incluso parte del cuerpo. Y seguían rodando, delicadamente, y se elevaban de nuevo, se entrecruzaban armoniosas en el espacio, volvían a iniciar el descenso como un fluir sin fin, pero equilibrado, de forma medida, exacta, geométrica. Los cuerpos, en contraste con las esferas negras giratorias, aparecían estilizados como líneas, como si no fueran de carne, sino el alma mecánica de una corporeidad.

Los colores, como las pelotas, también se elevaban y descendían, y también ondeaban como ondeaban las cintas vibrátiles en lo alto y se multiplicaban en un llamear de seda. Los acróbatas lograban equilibrios inusitados, ya sosteniéndose uno en la mano del otro, ya sobre mínimas barras, ya en un plano inclinado, donde con las gimnastas y las pelotas negras sus cuerpos alcanzaban la entidad, inesperada para el ojo, de la abstracción.

Hablo de los rusos, los danzantes deportivos de Moscú, olímpicas y olímpicos, en un espectáculo único y singular: entrenamiento y dedicación desde la infancia ofrecían al público la imagen de su logro; y el público, sin saber por qué, se sentía transportado a otro lugar y a otro tiempo, el del auge del circo y de los comienzos del cine.

Esferas, círculos negros, brillantes, como de charol, figuras geométricas generando un dinamismo a partir de un plano, e igualmente, en contraste con el negro, los colores suaves, gris claro, amarillo, beige, aunque también el rojo, el ocre; incluso el movimiento atlético, la tensión de desplazar en el aire un objeto, la continua sensación de deslizamiento... Lo que ahora veo, lo que ha puesto ante mi memoria la danza olímpica rusa, es obra también de un ruso, la de Lissitzky (1890-1941). Arquitecto, pintor, fotógrafo, tipógrafo, dice el catálogo; en un principio alma gemela de Marc Chagall, abandonó el arte judío al conocer a Kasimir Malévich, pasándose al suprematismo que él predicaba.

El objetivo de este arte era plasmar las fuerzas que constituyen la verdadera realidad –todo ello, a su entender, producto de su tensión, de su contraste–, unas fuerzas que, concretadas en forma, debían ser susceptibles de avivar los sentidos del espectador induciéndolo a una experiencia. Para lograr esto, para plasmar lo que Malévich llamaba «el mundo de la no-objetividad», el artista empleaba colores vivos y formas geométricas muy simples, limpias, puras como el gesto del deportista, no porque sí a sus discípulos les dio el nombre de *unovis*, abreviatura de «campeones del arte nuevo».

Malévich experimentaba, sobre todo, a través del color. Lissitzky aportó a la escuela la riqueza espacial de la arquitectura y amplió su lenguaje: bloques que equivalen a los de edificios corrientes o rascacielos, curvas que equivalen a puentes, ordenaciones de ámbitos; y son las suyas formas siempre en suspenso, siempre flotando, porque expresan el mundo futuro que conquistará la gravedad. «Convertiremos las asperezas del cemento, la suavidad del metal y los reflejos del vidrio en la piel de una vida nueva», escribía en 1920. Para lograrlo combinó en sus cuadros materiales distintos, láminas de metal y témpera con lápiz como vía de lo sutil, arena y pintura en pos de lo áspero, barniz puro para dar una transparencia cristalina...

El resultado de este empeño de Lissitzky es un tipo de obra, el «Proun» (jamás explicó él ese apelativo, aunque probablemente, dicen los estudiosos, quiere decir «diseño para la confirmación de lo nuevo»), donde siempre en el plano del cuadro se genera un movimiento, desplegando una energía en perpetua expansión, como la que llevan a cabo las estrellas o lo hacían las pelotas brillantes, como de charol, de los danzantes de Moscú, con una precisión medida, en gestos ondulantes, llameantes como las cintas de seda, sin una sola estridencia, sin un mínimo error, fluyendo siempre más y más allá, emitiendo como la luz los rayos, con vida propia, en lo que Lissitzky llamó «el espacio irracional».

En él las rectas, curvas, cuadrados, triángulos o círculos son un alma sutil de la dirección, y se entrecruzan y multiplican su potencia exactamente igual que los gimnastas y sus elementos de juego. Y, en efecto, algunos «Prounen» se llaman *Figurines*, y entre ellos hay *Deportistas* y *Globetrotter en el tiempo*, aunque también hay *Enterradores*, *Viejo y Nuevo*, pero todos son dinámicos, todos se mueven a perpetuidad.

1991

Bremen

Sobrevolar el paisaje adusto, las cumbres nevadas, y llegar al verde: esto es Bremen. Y ya las voces resuenan por mi cabeza, unidas en una sola voz, desde la noche en que me anunciaron la invitación al II Festival Internacional de Literatura de la ciudad, una maravillosa sorpresa, pues me llamaban a Alemania cuando llevaba un año leyendo con entusiasmo a un poeta alemán, Johanes Bobrowski, heredero de Rilke y de Trakl y próximo a Paul Celan. Llegar a Bremen es, por este motivo, llegar al verde y, a la vez, sentir el poema como presencia incesante, porque, además, fue esta ciudad la primera que reconoció a Paul Celan y le concedió el premio que lleva su nombre; y en ella el poeta pronunció un discurso, donde, empleando una imagen de Ossip Mandelstam, afirmaba que «el poema puede ser una botella de mensaje», y donde se confesaba «herido de realidad y buscando realidad».

Herida de realidad me hallo −me hallaba ya antes de salir del tren, siempre moviéndome entre el plano de la vida concreta y el del sueño− , y no sé si busco realidad entre ese grupo de poetas que, de inmediato, sólo entrar en el hotel, encuentro y me hacen sentir que vibra en el aire, aunque soterrada, la lucha a través de la palabra. Son poetas alemanes, austríacos, chinos, ingleses, americanos, suecos... Aquí están James Fenton, Ko Un, Duo Duo, Joachim Sartorius... Aquí está el héroe de Sudáfrica, Breyten Breytenbach, tan elegante y cortés, al que oigo decir: «Cuando salí de la cárcel...». Y recuerdo la primera vez que lo vi, hace más de quince años, recitando junto a Mahmud Darwich, ambos con intensidad, con fuego. Y ahí sigue el fuego, en esa frase oída por la escalera al llegar.

Siempre hay, además, un fuego en el interior... Y las llamas afloran en los rododendros del parque de Bremen, porque Bremen es un parque y un río sosegado con patos y árboles descendiendo majestuosos hasta bañar sus hojas en el agua, cruzar el puente y perderse luego por una callejuela llamada Böttcherstrasse y encontrar de pronto el nombre de Paula Modersohn-Becker, y ya flota Rilke en la atmósfera: «Comprendo / Igual que un ciego palpa alguna cosa / así siento tu muerte sin nombrarla», le escribió él. Y yo siento que en mi búsqueda –que intuyo se relaciona también con la de la realidad, pero seguro que es la del poema– estoy a la vez desconcertada y exaltada, ya que mi «botella de mensaje» ha llegado aquí, el lugar adecuado, en el momento adecuado.

En un discurso posterior al de Bremen, Paul Celan pedía «un radical cuestionamiento del arte... al que tiene que volver toda la poesía de hoy»; la razón, decía, «está en el aire, en el aire que tenemos que respirar»; y en el aire latía aún el que había sido motivo de la lucha de Breyten, de Darwich, de Ahmad Shamlu, aunque tres años antes de que se otorgara a Celan el premio de Bremen, Adorno, tomando, al parecer, su creación como punto de partida, había dicho que escribir poesía después de Auschwitz es «un acto de barbarie»...

Y siguiendo Böttcherstrasse, cruzar una gran avenida y llegar a una iglesia evangelista donde un coro ensaya vocalismos. No hay nadie en la nave mientras ascienden las voces a la estilizada bóveda. Y no hay nadie por las calles, ni por la plaza del mercado; nadie (porque son las siete de la mañana) contemplando «los músicos de Bremen», esos animales (asno, perro, gato y gallo) –nos cuentan los hermanos Grimm– que, abandonados por viejos o recelosos de su destino, decidieron convertirse en músicos en Bremen, pero a mitad del camino les dio por desalojar de su casa, situada en medio del bosque, a unos bandoleros (que asustados no regresaron), y les gustó tanto el lugar que se quedaron allí y nunca llegaron a la ciudad. No, no hay nadie contemplando la fachada de San Pedro, ni aquel museo que se inauguró con el estreno de una obrita teatral de Rilke, ni la Torre de Gravedad.

Yo me salto todos los museos, todas las visitas. Me gusta ver la plaza del Mercado ahora que no hay mercado y situarme en medio de la cruz hanseática de adoquines que está en su centro; ver, aún soñoliento, el edificio rococó de la *Rastapotheque*, la Casa del Parlamento (que data de 1600), donde antiguamente estuvo la bolsa del comercio, el ayuntamiento y el juvenil e imberbe Rolando de diez metros, con su espada en alto, su escudo dorado con negra águila de dos cabezas y su sonrisa de Gioconda (pero sin perversión); las casas históricas, la torre gótica, la catedral con sus ventanas ojivales que recogen la leve luz de las primeras horas, o el Patio de Nuestra Señora, donde se sitúa el Mercado de las Flores, ahora, aún sin flores. No veo el Cristo románico de San Pedro, ni el órgano de Silbermann, ni el precioso relieve que representa a Carlomagno con el obispo Willehad sosteniendo ambos la maqueta de la catedral; no veo las momias de la Cripta de Plomo, ni la Piedad de Tilmann Reinem Schneider, que está en la Casa de Roselius...

Me gusta, en cambio, ver esos rododendros que flanquean los caminos y que son tan intensos como los de Vchotový Janovec, donde Rilke iba a ver a a Sidonia Nadherná. Pero aquí, en Bremen, era sobre todo Clara Westhoff, su *gelibte gespielin*, y la conciencia de que algo puede «no ser más»: «Y tú vivías impaciente/ porque sabías, esto no es el todo./ Vivir en una parte solamente... ¿De qué?/ Vivir en un sonido tan sólo... ¿Dónde suena?/ Vivir tiene sentido sólo unido con muchos/ círculos del espacio que crece hacia lo lejos...».

¿Es eso la realidad? ¿La unión con esos círculos? Crece el círculo, crece en la poesía, crece hacia los vivos que pueden «no ser más», y crece hacia los muertos amados y admirados. Y uno siente en su fondo que es cierto: «Todo ángel es terrible», y que la poesía es terrible y hermosa, porque rasga los siete cielos y nos rasga a nosotros, y nosotros nos rasgamos en ella hasta situarnos incluso en la nada. Pero yo deseo que sea una nada cruzada por el relámpago de un nuevo poema. Aquí, en Bremen, conozco a un joven alemán, de nombre Nicolai Kobus, que escribe sonetos y canta «El arte de la fuga»; conozco a Brigitte Olechinski, a Michael Agustin, a la poetisa hindú Sujata Bhatt...

La poesía es una presencia irrevocable, no un «acto de barbarie», pero no hay olvido, aunque la única posibilidad de olvido sea la misma poesía. No hay olvido. Y, sin embargo, yo lo olvido todo cuando me toca el turno y, al leer, cito el nombre de Bobrobski. Entonces empieza el movimiento: Michael Agustin me habla de la familia de Bobrowski, Sujata me da sus libros y me cuenta la historia de Nachiketa, al cual la muerte concedió tres deseos y él le interrogó por el sentido de la vida. Y su voz es un remanso para mí, que por esas calles de Bremen que van a dar al río, y por los boscosos caminos, me repito su misma pregunta: ¿Buscando realidad? ¿Qué nos queda? ¿Qué nos queda ahora, en estos tiempos de verdadera barbarie? «El pesimismo de la inteligencia» se ha trocado en dragón y en sus fauces perece ya «el optimismo de la fe»...

No hablar, no decir nada...; pero el lenguaje se apodera de mí. Bobrowski dijo *«baum»*, esto es, árbol «más grande que la noche/ con el aliento de los lagos del valle/ con el susurro sobre el silencio», árbol de la vida, la vida, la vida sobre el silencio o bajo el silencio o más allá del silencio. Pero ¿qué, qué nos queda? La respuesta sólo puede ser: «Estoy vivo»... Y acaso nuestra vida, en este paisaje tan verde como aquel por donde Bobrowski escribía sus poemas camino del trabajo –me lo cuenta Brigitte Oleschinski...

Brigitte condensa los poemas. Joachim Sartorius, por el contrario, los deja fluir suavemente. Ko Un dibuja ángulos y círculos con la voz, los ingleses hacen juegos fónicos... Yo me apresto a trenzar mis versos con la melodía de un saxo, a dialogar con él, y en ese diálogo olvido que una actriz...

Éste es el año de las equivocaciones, a la ida me equivoco de tren, a la vuelta me equivoco de estación... El traqueteo y los pensamientos son una misma forma socavante... Bremen es eso, la cabeza en blanco, de pronto. «Vivir en una parte solamente...» Y en esa parte tan lejana que no alcanza ningún margen, se torna huidiza la fe. Sólo hay instantes en la vida, esos instantes únicos, que son eternidad, que pueden ser un poema, como aquel titulado «El rayo», que me lanzó a la lectura exhaustiva de su autor: Bobrowski.

Así de sencillo, porque a través del poema me lanzo yo hacia a esos «círculos del espacio que crecen a lo lejos» y me uno a los demás. Y eso debemos hacer todos: unirnos a todos, crecer hacia lo lejos, pero ¿cómo? Tal vez, del mismo modo que nos mezclamos con el paisaje, aquí, en el parque de Bremen, junto a los rododendros y los jacintos azules, donde hacemos una pausa para ver, en las aguas del río, agitadas por el deslizarse de un pato, cómo la propia imagen se une a la naturaleza, se mezcla con las hojas y los troncos. Esto es, porque, de hecho, uno va siempre «herido de realidad y buscando realidad». Y si es poeta no tiene otra salida: lanzar su «botella de mensaje» y, probablemente, no enterarse nunca de cuál es la costa en la que ha recalado.

2002

Toscana: historia y fiesta

Hay varias horas en tren desde Chiavari al primer punto donde debemos apearnos para tomar el tren de cercanías y, por suerte, estamos sentadas: subimos sin reserva y, media hora después, hasta los asientos plegables de los pasillos estaban ocupados y mucha gente en pie miraba por la ventanilla pueblos de playa, campos de trigo, olivares, fábricas, las canteras de Carrara, el puerto de Génova y más playas y campos.

«Iremos con mochilas», propusieron mis dos compañeras, Annelisa y mi hija Adriana. Pues bien, me quitaría treinta años de golpe, cogería trenes y autobuses, dormiría en hostales... El itinerario se fue completando: Volterra, San Gimignano, Certaldo –donde nació Boccaccio–..., ¿y por qué no acabar en Bagno Vignoni, donde Andréi Tarkovski rodó *Nostalgia*? Nada nos impedía ramificar nuestros pasos, tan ligeras de equipaje y abiertas a la aventura. Así llegamos a Salina y desde allí seguimos en autobús. El paisaje de colinas ondeantes, envuelto en bruma, parecía que nos acunara en el lento ascenso a Volterra. Íbamos en silencio, pero por nuestras cabezas resonaban las palabras dichas hacía un rato –mientras esperábamos en la parada– por un campesino. Annelisa comentaba que había descubierto un criadero de avestruces. «Hace años –intervino él–, aquí había palomas mensajeras. Y cuando las soltaban, para que volvieran deprisa, ponían a otro macho con sus hembras.

Los palomos son monógamos: regresaban de inmediato... El hombre, en cambio, no es fiel. Pero nosotros... Nosotros somos de campo y de río.»

Esa sola frase me merecía la espera, el polvo del camino y ese ascenso lleno de curvas. Pero ahí estaba Volterra, su catedral, las ruinas romanas... Casi por sí solos los pies se orientaron por las estrechas calles empedradas, flanqueadas de antiguas casas, y nos llevaron al museo y situaron ante el antiguo arte del retrato funerario de los etruscos. De pronto estábamos sumidas en aquella vida y nos parecía que, al igual que los difuntos retratados en la tapa de su sarcófago, ya con un plato de frutas, ya con un vaso o un libro en la mano, emprendíamos el descenso a los infiernos a caballo, en carro o en barca, guiados por un espíritu alado, una *lasa*... Luego Annelisa, que es poeta, sobre la hierba de un parque, con pies descalzos, improvisaba una danza, y Adriana, que es escultora, se admiraba ante el alabastro, la piedra de Volterra...

Pero había que seguir, ahora a San Gimignano, de casas con altísimas torres rectangulares, gran catedral con los frescos de Bartolo di Fredi: el nacimiento de Eva y esos camellos, caballos, jirafas y pájaros entrando dócilmente en el arca de Noé. En el Museo Municipal vimos la imagen más sorprendente: el arcángel Gabriel guiado por un cuervo.

Certaldo, al igual que Volterra, estaba en lo alto de una colina. Cuando llegamos se preparaba una feria y, de noche, aquellas calles medievales se vieron invadidas por ceramistas, hacedores de muñecos, de objetos de cuero, de espejos con cristales de colores... Por una callejuela, hombres con zancos; en un claustro, una joven tocando el salterio y entonando canciones; a la vuelta de la esquina, acordeonistas, hasta que arrancó la danza de la tarantela y cohetes y petardos y serpentinas y risas, toda la noche.

Y de nuevo el tren y el autobús hasta Bagno Vignoni: canalillo del agua termal, parque vacío cargado de enigma, río en el valle, bosques. Todo hablaba de la elección de aquel escenario por parte del cineasta Tarkovski para meditar sobre el origen de la vida. Annelisa y yo nos bañamos en la piscina del balneario, Adriana dio un paseo. Cuando cayó la noche, nos reunimos a contemplar las aguas del estanque de la plaza. Un jardín abandonado abrió las puertas a nuestra fantasía. Y entramos. Tal como íbamos, dispuestas a la aventura y ligeras de equipaje.

2003

Los saltos y piruetas de Milán

En la Biblioteca Ambrosiana de Milán hay un libro de Luca Pacioli, *De divina proportione*, famoso por las figuras poliédricas que contiene, atribuidas a Leonardo da Vinci. A través de ellas se hace patente la magia de la multiplicación y la división, vemos cómo se salta de un octaedro a un tetraedro, de éste a un dodecaedro, y luego a un hexaedro, ya planos o cerrados, ya en hueco, y la imagen nos contagia un dinamismo y es el dinamismo –siempre dentro de la proporción– el que manda. La ciudad de Milán parece regirse también por un dinamismo vinculado a la proporción y manifiesto en saltos. ¿Por qué puerta entrar en ella? ¿Porta Ticinesa, Porta Romana, Porta Venezia? Soy partidaria de llegar por ferrocarril a la Estación Central y saltar del tren a ese espacio pomposo y brillante, estilo Liberty, que el arquitecto Ulisse Stacchini ideó y llenó de columnas dobles y decoraciones escultóricas, incluidos caballos alados en la cornisa... Así entra uno directamente en el corazón, pues, siguiendo la Via Vittor Pisani, se encuentra con el Teatro alla Scala, y sólo ver el edificio se imagina ya ocupando uno de sus tres mil asientos y escuchando a Caruso.

Del brinco del Liberty de la estación al neoclásico del teatro, se recupera uno al punto, pues a dos pasos está la Galleria Vittorio Emanuele, calle cubierta que data de 1867 –una de las primeras construcciones en cuya estructura se empleó hierro y cristal–, llena de tiendas y cafés. Pero hay que seguir y completar la primera pirueta, porque una sorpresa aguarda al final de este pasaje: la catedral.

«*O mia bella Madonina*/ de lejos te ves brillar/ toda de oro y pequeñita/ y tú dominas Milán./ A tus pies bulle la vida:/ nadie de brazos cruzados./ Todo el mundo lo recita:/ se muere lejos de Nápoles,/ luego se llega a Milán.» Esta emblemática canción popular, antiguamente era de todos conocida, pues la pequeña imagen dorada de la Virgen que culmina la aguja más alta del edificio (109 metros) se ve desde muy lejos. Su instalación, en 1774, cumplió un hito en el proyecto iniciado en 1386, en tiempos de Gian Galeazzo Visconti. La catedral, llevada a cabo, por cierto, en el mismo lugar donde fue bautizado San Agustín, no se concluyó hasta tiempos de Napoleón, lo que explica cierta mezcla de estilos. Con todo, la nitidez del mármol de Candoglia que lo recubre, los 52 bajorrelieves que se reparten a lo largo de la base, las 150 gárgolas y sus 3.159 estatuas, de las cuales 2.245 se hallan en el exterior, hacen del edificio un todo, un universo pétreo y silencioso.

Pero la vida, como dice la cancioncilla, está a sus pies, y éste es el juego de saltimbanqui peculiar de Milán. Tras el impacto de tan importante arquitectura, hay que seguir el impulso de perderse por las calles de los alrededores y dejar que los ojos bailen. Desde los escaparates asaltan los nombres de la moda: Ermenegildo Zegna, Teo Grimaldi, Versace, Gianfranco Ferré, Ebro, Gucci... Y también el de los grandes almacenes La Rinascente, que se debe al poeta Gabriele d'Annunzio. Desde bolsos y paraguas hasta zapatos y la ropa más sofisticada, todo luce ese estilo elegante y tan llamativo que explica que los italianos estén pendientes de la *bella figura*. Pero puede que uno prefiera la música o el buen cine, y allí están también Ricordi o Messagerie Musicali que facilitan caer en el vicio de cargar el bolso con películas de Pasolini, Zurlini o Visconti. ¿Y el diseño? Asoma por doquier: mesas de madera y aluminio, estanterías levemente coloreadas, sofisticados divanes, lámparas y mamparas de papel de arroz... Hay incluso librerías especializadas en el tema. Nadie, nadie está de brazos cruzados al pie de la *Mado-nina.*

Se anda y se anda por estas calles, se peregrina a las librerías en busca de algún clásico difícil de encontrar y se topa uno, de pronto, con los arcos de ladrillo de la iglesia más antigua de la ciudad, y en otra revuelta un ábside que sobresale entre las casas y resulta ser el de la iglesia situada bajo la advocación de un santo que lleva el paganísimo nombre de Sátiro. Y se entra en San Sátiro (románico-renacentista) y el ojo cae irremediablemente en la trampa de un enorme *trompe-l'oeil*: una pseudo ábside, obra de Bramante, que resolvió el problema de la falta de espacio a través de relieves arquitectónicos que simulan una gran profundidad.

Estamos en la Milán medieval, las calles Speronari, Spadari, Armorari, donde se hacían espuelas, espadas y armaduras; y acto seguido la Via della Moneta, y la Via degli Affari que sigue entregada a los negocios pues en ella está la Bolsa. Nos parece oír las palabras de Cervantes: «Admiróles la grandeza de la ciudad, su infinita riqueza, sus oros, que allí no solamente hay oro, sino oros; sus vélicas herrerías, que no parece sino que allí ha pasado Vulcano»; y también las de Pedro de Urdemalas: «Cosas de armas y joias valen más baratas que en toda Italia y Flandes, espadas muy galanas de atauxía, con sus bolsas y talabartes de la misma guarnición, y dagas [...]. La plaça de Milán es tan bien proveída, que a ninguna hora llegaréis que no podáis hallar todas las perdices, faisanes, y francolines y todo género de caça y fruta que pidiéredes, y en muy buen precio todo». Y sí, allí mismo está Peck, un santuario de la gastronomía, y también pizzerías, *trattorias*, cafés.

Pero ya un nuevo volantín nos sitúa en la Pinacoteca Ambrosiana, que guarda obras de Bramantino, Tiziano, Bergoñona, Caravaggio, Tièpolo...; y en la Biblioteca Ambrosiana, riquísima en códices, desde el *Libro de los animales* de Amr bin Bahr al-Jabriz (siglo XV), a manuscritos de Galileo, Lucrecia Borgia o el *Codex Atlanticus*, que contiene los proyectos que hizo Leonardo de máquinas para hacer cuerdas, lanzar balas o armas de fuego, asediar ciudades, sus estudios de catapultas, de relojes o de alas para volar.

De camino a la basílica de San Lorenzo el paseante puede encontrarse un grupo de Hare Krishna cantando y danzando en un recodo antes de llegar a la Porta Ticinese y tener frente a sí la hermosa columnata romana que hace de pórtico a la plaza. Luego hay que cruzar el parque y entrar en el verde, en la frescura que desprenden los nísperos, chopos, prunos, acacias, arces rojos, camelias, rosales, azaleas, rododendros, acantos y el césped lleno de *bellis*, para llegar a la basílica románico-lombarda de San Eustorgio donde están la Capilla Portinari, atribuida a Michelozzo, y la tumba de los Reyes Magos, cuyos despojos llegaron a Milán desde Constantinopla en el siglo VIII.

Ese románico lombardo tan peculiar, esas construcciones en ladrillo, sus arcos de medio punto, y, con frecuencia, sus torres de base cuadrada o rectangular y tejado a cuatro aguas surgen como apariciones entre las casas ocres, blancas o grisáceas, así Santa Eufemia, San Nazzaro, San Sepolcro, San Babila, Santa Maria delle Grazie, donde se halla, recién restaurada, *La última cena* de Leonardo, y Sant Ambrosio, en cuyo interior llaman la atención dos columnas de granito, culminada por una cruz de bronce la situada a la derecha y, la del lado opuesto, por una serpiente también de bronce, que se eleva formando un círculo, como por orden de Moisés hiciera en el desierto. No es el primer animal que llama la atención en esta ciudad: sobre una columna, mirando la torre de San Babila, hay un león, y más humildemente, en una de las callejas medievales, un gato de cerámica vidriada contempla a los transeúntes desde una ventana.

Indefinidamente daríamos volantines de estilos y épocas, de sensaciones y sorpresas por aquí. Un triple salto mortal podría situarnos por un lado en la Fiera Campionaria –el movidísimo recinto ferial–, por otro en la Pinacoteca de Brera –donde se encuentran el *Cristo yacente* de Mantegna, *Las bodas de la Virgen* de Rafael, la *Virgen del huevo* de Piero della Francesca, la

Piedad de Giovanni Bellini, la *Disputa de San Esteban* de Carpaccio...–, y en un tercer impulso en el Castello Sforzesco –el castillo de los Sforza–, elevado por razones defensivas por Galeazzo II Visconti alrededor de 1368. Su arquitectura, su nobleza y su majestad nos hablan de esa grandeza que admiraban los personajes de Cervantes, y en él se halla esa obra de arte irrepetible que es la *Piedad Rondanini*, última creación de Miguel Ángel, que, adelantado en siglos, no sólo dejaba algunas esculturas en mero vislumbre con un impresionista *non finito*, sino que en esta ocasión, no satisfecho con la obra de su cincel, rectificó dejando, de modo picasiano, la huella de la anterior factura.

Pero el artista más vinculado a la ciudad fue sin duda el poliédrico Leonardo da Vinci. Leonardo, que saltaba de la arquitectura a la música, a la pintura, a la balística, a la hidráulica, a la escultura, a la escenografía o la gastronomía, trabajó al servicio de Ludovico el Moro, y, aunque no quedan muchas huellas de su trabajo, está presente en la ciudad. Apasionado por la mecánica de los fluidos, perfeccionó el sistema de canales, los *navigli* –hoy enterrados–, que facilitaban el transporte de grandes pesos. Las barcas se deslizaban por el agua, pero su velocidad se debía a los caballos que tiraban de ellas corriendo por las orillas. Estos *navigli* agilizaban el tráfico y llegaban, por ejemplo, a la puerta del Ospedale Maggiore, el más avanzado de Europa, edificado por iniciativa del duque Francesco Sforza hace más de cinco siglos, hoy sede de las facultades de Filosofía y de Derecho.

Si todavía existieran esos *navigli*, no cabría duda, lo mejor sería llegar en barca a Milán. Y si además fuera de noche se vería brillar –como aún se ve–, desde diversos puntos de su circunvalación, la dorada *Madonina* en lo alto de su aguja.

2000

Sicilia, dos caras
del paisaje mediterráneo

Montañas rocosas y arenosas hacen emerger al crepúsculo el color mordoré, mientras el sol se pone y, oblicuo, delimita grandes casas campesinas, palmeras, recuadros de cipreses, trigales segados, viñas emparradas o en forma de árboles o sombrajos, espacios bien delimitados llenos de frutales o amontonamientos de cañas o cardos, zonas sin vegetación, búnkers, eucaliptus aislados, pinos, suaves regueros de humo de campos con ristras de fuego, dibujos formados por los matojos quemados que hacen de la tierra inmensos cuadros abstractos, olivos, tuyas, ficus, daturas, chumberas punteadas de higos, vergeles de limoneros y naranjos, adelfas en flor, retazos de lava, súbitas araucarias, y el mar, siempre el mar, ese *mare nostrum*, ese Mediterráneo que está en medio de tierras, las baña y suaviza y alimenta.

«Una piedra es música petrificada», dijo Pitágoras –que se estableció en Crotona (sobre el mar Jónico), no lejos de la isla–, y el mar es música, voz y danza, ritmo. A partir de él todo se configura, sigue su escala; y, por ello, nuestro mar forma una equivalencia en las tierras que lo circundan, en su clima, su paisaje y sus moradores. ¿Qué puede sorprendernos en esta isla?: lo que nos acerca, pero también algo que nos distancia. Lo primero se resume en ver cómo emerge no sólo en el paisaje, sino en la cultura, cuanto existe en las márgenes del Mediterráneo: huellas fenicias, cartaginesas, griegas, romanas, pero también catalanas, aragonesas, y, además, normandas. Fueron precisamente las invasiones normandas la causa de aquello que nos distancia: la realidad de la mafia –que surgió en la Edad Media para oponerse a ellas–, latente en el aire.

Muchos puntos de la isla son un pozo de belleza y cultura, otros la prueba de una especulación orientada a distintos aspectos, sea el turismo o la explotación de las riquezas de la tierra, como el petróleo o el gas metano, que comportan luchas de poder, espacios destruidos, mansiones abandonadas a la fuerza, grandes hoteles cerrados inexplicablemente. Éste es el caso de la ciudad de Gela, donde el contraste no puede ser más violento, donde se percibe una mano oscura, secreta, sosteniendo unos hilos invisibles que rigen los movimientos de la urbe y parten, sin duda, de las altísimas chimeneas, culminadas por llamas, de sus yacimientos petrolíferos.

Pero hay que ir a Gela para vivir la contradicción; ver además de esa playa inmensa costeada de edificaciones en incipiente ruina, que huele a gas pero goza de un mar acogedor, la acrópolis, llamada Mulino a Vento (que en el siglo VII a. de C. fue estructurada urbanísticamente), de cuya antigua arquitectura queda sólo una columna dórica del templo de Atenea (siglo IV a. de C.), pues las restantes se incorporaron a la sorprendente catedral, y también llegar hasta la muralla de Capo Soprani (igualmente del siglo IV a. de C.) cerca de la cual crecen, en la reseca tierra, los lirios del mar, narcisos blancos de hojas como filamentos. Hay que visitar su Museo Arqueológico y comprobar la presencia del hombre en esta zona, desde el Neolítico a través de sus hermosos recipientes de cerámica o los vasos rituales llenos de formas fálicas (cuernos) de barro; la presencia de la civilización griega arcaica en las copas decoradas donde se repite una violenta escena erótica entre Sileno y la ménade y, junto a ellas, estilizadas korés o delicadas tanagras y figurillas votivas dedicadas a Deméter o a Atenea Lindia, a veces portadoras de guirnaldas, en general de rizado cabello peinado de un modo que recuerda el de las estatuillas púnicas de Ibiza. Nos llama la atención un portador de oveja, un Hércules, un pozo decorado con máscaras, una serie de candiles en impecable estado, una gárgola en forma de cabeza de carnero...

El descubrimiento arqueológico más reciente, un altar a la Gorgona –monstruo alado de inmensos ojos y boca por la que asoman cuatro colmillos y una prolongada lengua, que sujeta un caballo y un hombre (sus hijos, Pegaso y Chrisaor), cada uno con un brazo, ceñida su cintura por una serpiente–, nos habla de una posible influencia india, es decir, del inmenso impulso de la ola mediterránea. Junto a éste, otros dos altares, dedicados a Eros y Kephalos y a la tríada divina Deméter, Koré y Hécate respectivamente, todos ellos del siglo V a. de C.

La inquietante imagen de la Gorgona es ajena a la serenidad de los templos griegos, como los de Agrigento, ciudad que se halla relativamente cerca de Gela y es excursión obligada, así como Piazza Armerina, donde se conserva una serie de espléndidos mosaicos romanos. Todo está relativamente cerca: hacia el Este, Catania, Taormina, Siracusa; hacia el Norte, un poco más lejos, Palermo. Esta ciudad, verdadera capital de la isla, aguarda al visitante con solemnidad, ofreciéndole su puerto amparado por el majestuoso monte Pellegrino y sorprendiéndole con su rica y varia arquitectura que abarca la Baja Edad Media, el Renacimiento, el Barroco o el siglo XVIII. Colonia fenicia, fundada entre los siglos VIII y VI a. de C., Palermo, dominada luego por los cartagineses, conquistada por los romanos durante la Primera Guerra Púnica, fue el gran centro de intercambio entre Oriente y Occidente y estuvo en manos bizantinas, árabes, normandas...

En la plaza de la catedral, los españoles –el período aragonés inicia la etapa feudal en Sicilia– organizaban esplendorosas fiestas. Nos parece verlos, una vez cerrada la plaza con arcos decorados y, con el fondo de esa cúpula barroca, el campanario normando, el pórtico gótico flamígero –una mezcla de estilos suntuosa–, luciendo disfraces y máscaras, y bailando esas danzas solemnes y ceremoniales que poco a poco fueron incorporando los ritmos populares y que llamaban saraos. El espectáculo, he aquí algo de gusto siciliano. Y en Palermo, casi en frente de la catedral, hay uno de los teatros de *Puppi*, marionetas que miden un metro de altura y se manejan con hilos y varas, que ofrecen al público, desde tiempos inmemoriales, las peripecias vividas por Orlando y Angélica, con el ángel y el demonio como contrapunto. Se trata de un arte y una artesanía, y en los talleres de Vincenzo Agento, en el Corso Vittorio Emanuele, se puede ver cómo tallan las caras, y cómo las pintan hasta lograr la expresión necesaria, cómo elaboran vestuario, corazas, alas o rabos.

¿Plazas, fuentes, iglesias, edificios de estilo? El puente del Ammiraglio (siglo XII), las iglesias de San Juan de los Leprosos (siglo XI) y de San Juan de los Eremitas y su hermoso claustro románico, el Palacio Normando, la Fuente del Pescador, con esculturas de Ignazio Maralitti (siglo XVIII), el Palacio Chinés, erigido en el parque de la favorita de Fernando III de Borbón, la Villa Bagheria, obra de Tommaso Napoli, y sus jardines con esculturas grotescas, el convento y las catacumbas de los capuchinos o la Galería Nacional de Sicilia donde se hallan dos hermosos retratos de mujer: el de Eleonora de Aragón y la *Virgen de la Aunciación* de Antonello da Messina, ambos del siglo XV.

Pero hay que seguir, seguir hacia Mondello, de hermosa playa; hacia el Sferracavallo, puerto pesquero; hacia Monreale, cuya catedral encierra un tesoro en mosaicos comparable al de Santa Sofía de Estambul; a Mazzara, de fuerte impronta normanda; a Gibellina, ciudad que fue destruida por un terremoto y actualmente, reconstruida, reúne obra arquitectónica, pictórica y escultórica de artistas contemporáneos –una de las más sorprendentes y monumentales, titulada *Montaña de sal*, un declive blanco poblado de caballos broncíneos de tamaño casi natural, se halla en la Fundación Orestiadi, que alberga, además, un interesante museo de arte popular mediterráneo...

Siempre por esta zona de la isla, habría que volver al mar y recalar en Selinute; perderse por sus ruinas de templos y casas griegas y cartaginesas, contemplar desde allí las aguas claras y abarcadoras, esas olas incesantes y suaves como pétalo de rosa, que invitan a reflexión y también a plenitud amorosa en comunión con el paisaje.

2000

Amanecer en Lisboa

«Nombro constelaciones las uso/ para que me guíen en el recelo de las noches», dice el poeta portugués Al Berto *(12 señales)*. Y cuando las constelaciones se apagan queda el firmamento oscuro presidido por el planeta Venus, y a veces tampoco, a veces queda sólo un cielo negro, como sucedió un día del mes pasado en Lisboa. Me llevó allí uno de los muchos actos celebrados en torno a la exposición «Libros de España, diez años de creación y pensamiento», realizada como muestra y también como medio de aproximación de nuestra escritura al pueblo portugués.

Con mi habitual deseo de entablar contacto a la recíproca me había preparado por si tenía la oportunidad de conocer a algún escritor del país vecino, repasando mis poetas preferidos: Eugénio de Andrade, António Ramos Rosa, Sophia de Mello Breyner Andresen, Vergílio Alberto Vieira, Herberto Helder, e iniciada la lectura de dos obras en prosa, *Finisterra*, de Carlos de Oliveira, y *Un falcao no punho* (*Un halcón en el puño*), de María Gabriela Llansol, que llevé como compañeros de viaje.

La sala donde tuvo lugar la mesa redonda era grande y estaba llena, y las intervenciones y el coloquio fueron interesantes, pero el intercambio se produjo con un público anónimo y el único escritor portugués que conocí, la novelista Agustina Bessa

Luís, autora de *Sibila*, que presidió el acto, desapareció sin que yo pudiera hablar con ella ni dos palabras. De todos modos me quedaban los libros y Lisboa y todo el día siguiente para abandonarme ya al azar.

Y el azar hizo que me despertase a las cinco de la mañana (las seis en mi reloj), lo que consideré un buen presagio, y decidí ir a ver amanecer cara al río, el Tajo, que en su estuario parece confundirse con el océano, y escribir en mi cuaderno lo que viera. Así recorrí andando en una oscuridad apenas disimulada por la luz de los faroles amarillos toda la Avenida da Liberdade desde Pombal, reteniendo el paso para disfrutar más intensamente de la ciudad dormida, de la soledad peatonal absoluta que hacía más nítidas las voces que cruzaban por mi mente, por ejemplo, la de Ramos Rosa en sus *Tres lecciones materiales*: «Tocaste la piedra nocturna sobre las aguas: noche de la materia: tranquila deriva, fluir fetal: penetras en el árbol por la raíz oscura para que lo oscuro ascienda al verde y el fuego regrese desde lo alto a la matriz, al centro impenetrable». Todo el trecho hasta Rossío, que a la luz del día y con los autobuses y los coches corriendo me parecía larguísimo, se me pasó en un soplo, caminaba como si algo me llevara, sin esfuerzo alguno, captando en el aire barruntos, probablemente la cercanía de la costa, que me despertaban sensaciones vividas en Barcelona, mi ciudad natal.

De pronto, en una esquina, vi una aglomeración de personas (acaso empleados de correos, porque el edificio estaba allí mismo): abrían un café y entraban a desayunar. Las seguí. El trámite se hacía a toda velocidad y había muchos que tomaban una *bica*, es decir, un café solo, y se iban. Una vez cumplido este rito continué bajando hasta la Plaza del Comercio con la esperanza de meterme también en su famoso café, pero el que frecuentara Pessoa aún estaba cerrado; de hecho toda la Baixa seguía sin despertar, aunque algún tranvía lo cruzaba. En uno de ellos llegué al mirador de Santa Luzía y fue allí donde la soledad y la negrura se impusieron: negro era el cielo y negra el agua, si bien algunos barcos estaban iluminados, varios de ellos no en la orilla sino en medio del amplio brazo del río, inmóviles. En primer término un gran buque y la sombra de tres grúas.

Me senté en el borde mismo del antepecho y esperé. Al poco, con timidez, se insinuó frente a mí una leve franja roja, y a la derecha como un ojal azulado de cirros que fueron formando un círculo, en tanto la franja empezaba a prolongarse y bajo ella una línea blanca se extendía despacio. Se oían mirlos, próximos. Levemente iluminadas por luces eléctricas, a mi izquierda, se recortaban la iglesia de San Vicente de Fora y la cúpula de la de Santa Engracia, a cuyos pies se arremolinaban tejados de casas antiguas. Y ya se ampliaba la franja roja apoderándose de la blancura indefinida, mientras el negro perdía su carga de oscuridad. Un mirlo que se había posado en una antena se lanzó en picado al suelo. El mar se puso de color plomizo y un reflejo súbito, incandescente, se apoyó en él, mientras el resto del agua resplandecía ahora en tonos plateados. «La luz me anuda al mar como a mi rostro/ ni la línea de las aguas me separa», dice Sophia de Mello Breyner.

Y la luz iba en aumento, el río se aclaraba y se hacía nítido el panorama de casas y, excepto por una mancha pálida, todo el espacio de nubes se tornaba rosáceo y en el centro amarilleaba. Se oyeron siete campanadas de una iglesia vecina (mi reloj marcaba las ocho) y empezaron las gaviotas a hacer dibujos en el aire, acaso con un compás imaginario establecían proporciones, trazaban ángulos, delimitaban planos celestes. Recordé un párrafo que había subrayado en el libro de Carlos de Oliveira: «La geometría sumergida en la realidad tiene (por lo menos) dos lógicas contradictorias. Una fuerza interior me conduce ciegamente (dejé también de analizarla) a las formas simples de la fidelidad. Amo (y esto significa: distingo) un objeto; no necesito más para concretar el sentimiento abstracto que me ordena (en el campo de lo real) sentimientos inconciliables».

Amaba aquel paisaje en aquel instante, empezaba a diferenciar su luz de toda otra luz, estaba viendo exactamente la de

Lisboa al amanecer y los recuerdos de Barcelona o Praga (también con esta ciudad tiene cosas en común la capital portuguesa) quedaban lejos. Pero, poco a poco, todo el panorama quedó en matices de gris. Y después salió el sol y yo cogí de nuevo el tranvía y me dirigí a otro punto que quería ver: el Acueducto das Aguas Livres. Ahora tenía prisa, empezaba el día y eran muchas las cosas que quería ver, anotar en mi cuaderno. ¿Por qué? A esto contestaba María Gabriela Llansol: «Por un lado, el tiempo apremia; por otro lado, sé que sólo escribo porque mi experiencia es mortal (acaba con la muerte). Si no, a escribirla hubiera preferido otra felicidad me/ nos ardiente, otra complejidad me/ nor».

1990

III

El primer viaje

Despertar

Lo que somos y sabemos depende en gran parte de nuestras percepciones y captaciones, de las que no siempre tenemos consciencia. Vemos algunas cosas por primera vez y las sentimos familiares, nos parece incluso que su concepto está en nosotros como algo innato. Es que olvidamos que el gen es portador de memoria y que, además, las palabras y los objetos nos rodean desde que nacemos. Con frecuencia me he preguntado desde cuándo tengo la idea de Oriente, incluso unida a una estética y, dado que después de cumplir yo los cuatro años nos trasladamos desde el centro de Barcelona, la calle Muntaner, a Pedralbes, deduzco –porque esta idea despertó en mí en la primera casa– que sería en esos primeros años. Recuerdo claramente que aún vivíamos en Muntaner cuando mi padre publicó *El libro del té*, un libro distinto, pequeño, atado con un cordón de seda, editado a partir de un hermoso diseño –probablemente hecho por él pues no figura en los créditos diseñador–, y que nos lo enseñó con entusiasmo y lo puso en mis manos. Sin duda, acompañó el gesto con alguna explicación. Este libro resumía todo un mundo.

Otros elementos se unían a él: mi madre tenía un muñeco chino de preciosa cara de porcelana, mi abuela una muñeca japonesa, colgada en la pared de su casa. Completaba todo esto un juego de té bellamente decorado con formas de dragón.

Estas cosas no se podían tocar. Más adelante localicé, entre una serie de libros de arte, los dedicados a Oriente y los miraba con frecuencia, deteniéndome en la caligrafía, la pintura y los objetos.

Como es natural, era la muñeca lo que más despertaba mis anhelos. Unos años después –a los siete u ocho– decidí que la haría accesible para mí reproduciéndola. Pedí que me compraran barro y me lancé al intento de moldear una cara. Diez años después lo había conseguido. Para que mis muñecas fueran lo más japonesas posible, buscaba libros en la biblioteca de casa y también discos. Descubrí así la música de Kabuki y una ópera china. Ya de adolescente, me iba al museo etnográfico de Barcelona a indagar sobre los peinados y los kimonos. Luego, cuando llevaba unos meses estudiando inglés, encontré el teatro Nō en versión de Fenollosa y Ezra Pound y, para entenderlo, lo traduje como ejercicio. Más adelante, en Oxford, di con la obra de Chikamatsu. Mis muñecas se convirtieron en personajes teatrales. Incluso escribí para tres de ellas una pequeña pieza de marionetas, *Yamatu*. Sucedía esto en el año 1961 y es uno de los escritos más antiguos que conservo.

¿Puede un objeto comunicar otra cosa de la misma estética? ¿Podía yo, a través de *El libro del té* o de la muñeca o de las láminas, saber lo que era un haiku? No lo sé. Imagino que mi padre, al enseñarnos aquel libro, debió hablar de la poesía japonesa y de la escritura incluida en la pintura. Sé, de todos modos, que no vi ningún poema y, sin embargo, cuando empecé a escribir versos, los hacía muy breves consciente de que eran «de tipo oriental».

Tenía diecisiete años, estaba en pleno proceso de creación de las muñecas, y ya me atrevía a adquirir por mi cuenta algún libro. En la biblioteca de mi casa había encontrado la historia y la geografía del Japón, además de *El libro de la piedad filial*, el *Tao Te King* y una antología de poesía china. Compré una historia de la literatura japonesa y me llené de entusiasmo al leer los haikus de Bashō. De todos modos, lo japonés se presentaba a mis ojos como un imposible. No me atrevía ni a formular mentalmente mi deseo de aprender la lengua y conocer el país. Por otra parte, quizá por remontarse todo esto a los años de plenitud del juego, yo me sentía ya en él.

Cuando contaba cuatro años, como he dicho, mis padres decidieron ir a vivir a Pedralbes, y nos instalamos en una casa con jardín. Mi vida, a partir de ese momento, fue, ante todo, el jardín. Allí se inició mi relación con la tierra, las plantas, los animales, las estaciones del año, el día y la noche, y los astros, como algo absolutamente vivo. Ahora lo definiría, ante todo, como un sentir que yo formaba parte del cosmos. Pero ese yo, que estaba en la tierra, en el paisaje, a la vez buscaba cobijo. Así surgía la idea de la cabaña, del refugio –éste era uno de mis juegos, junto a sembrar, labrar la tierra y regar (mi madre, por cierto, conocía el ikebana y hacía hermosos ramos de flores)–. Ningún concepto de Oriente me rondaba en eso, pero este modo de entender la naturaleza –que era ya mío propio (quería ser astrónoma y botánica)– hizo que, años después, me identificara totalmente con los poemas de un hermoso libro que un día encontré en la biblioteca, titulado *Poesie del fiume Wang*, de Wang Wei.

Creo que lo que se iba formando en mi mente, allí en el jardín, era algo análogo al Feng-Shui, esa técnica para reconciliar al hombre con la naturaleza, ese sentir la tierra como criatura, unida a sus habitantes, ese captar su energía como algo que fluye como la sangre en las venas, y lo imprescindible de estar en armonía con todo ello, tanto la tierra y las plantas, como los astros. Y ya en la adolescencia, la conciencia de los campos magnéticos, terrestres y celestes, de la fuerza de la gravedad, del espacio-tiempo, de la fugacidad...

Seguí en la casa con jardín hasta la muerte de mi padre –yo tenía dieciocho años, él cuarenta y cinco–. Precisamente antes de morir me llevó a ver una película que le había gustado (cosa que sólo hizo en dos ocasiones). Era una película japonesa, *La puerta del infierno*, de Kinugasa Teinosuke: otro impacto enorme en mí. Verticales y horizontales distribuyendo armoniosamente los colores y los objetos en la pantalla. Esto, unido a todo lo demás, era algo que participaba del sustrato inicial de la persona. ¿Necesitaba yo viajar a Extremo Oriente? Sus modos, su estética, y hasta su forma de vida y pensamiento, estaban en mí por absorción. Había incluso algo aún anterior, precisamente lo que me permitía ese acercamiento, lo que me inducía a mirar la naturaleza con unos ojos tales que podía hacer mías las palabras de Zhuang Zi:

Una noche, Zhuang Zhou[4]
soñó que era una mariposa
[...]
De pronto, Zhuang Zhou se despertó,
sorprendido de ser él mismo.
Ya no sabía si era una mariposa
que soñaba en ser Zhuang Zhou
o Zhuang Zhou que soñaba ser una mariposa.

[4] Nombre verdadero de Zhuang Zi.

La debilidad del agua

«Los pájaros vuelan, los peces nadan, los animales corren [...] Pero ¿qúe puede hacerse con un dragón? Ni siquiera podemos ver cómo cabalga vientos y nubes, elevándose en el cielo. ¡Sin duda ese Lao Zi que he conocido hoy sólo es comparable a un dragón!», escribió Confucio. Prácticamente con esta cita se abre el segundo volúmen de *Sufismo y taoísmo*, de Toshihiko Izutsu, y el lector tarda en comprender que no hay nada más distante al alboroto celeste o terrestre provocado por un dragón que la filosofía taoísta, que, de todos modos, cuenta con dos cabezas, Lao Zi y Zhuang Zi.

Los padres del taoísmo buscan penetrar en el misterio de la Existencia y, como el chamán (intermediario entre la tribu y el mundo invisible) recurren a una «experiencia», apartando la razón, porque el Absoluto, en cuanto se vuelve comprensible, muere. Para ellos «la realidad del Ser es el Caos» en un aspecto muy moderno, por cierto, aunque el mundo en que vivimos dista de ser «informe» y en él parece que todo ocupa su lugar. Ésta es «la enfermedad de la Razón», pues, de hecho, ateniéndonos al estado de «caotización» primigenio, no puede distinguirse sueño de realidad, ni vida de muerte, pues «nada es *lo que es* y todo puede ser cualquier cosa», relativismo que se debe a que «nada posee lo que se llama *esencia o quididad*».

Para Zhuang Zi, la única actitud razonable es «armonizar todas esas [tesis y antítesis] en la Nivelación celestial y devolver [las perpetuas oposiciones entre los existentes] al estado de Ausencia de límites», es decir, a la Unidad caótica, lo que sólo es alcanzable mediante la iluminación. La búsqueda del «ojo interior» y la «pérdida del ego» (que es creación del hombre) son pasos fundamentales para llegar al ideal: «Estar sentado en el olvido», es decir, alcanzar el estado de «luz ensombrecida» o de vacío «en que nada obstruye la omnipresente actividad de la Vía», la cual es comparable al agua, dotada de debilidad poderosa. El taoísta, verdadero existencialista, llega entonces a la negación del Principio y del No Principio, estableciendo el No-No Principio, el Absoluto como No (No-No-Ser) o No-No-Nada y, por lo tanto, la Vía como Trascendente absoluto.

1998

A propósito del teatro Nō

«¡Qué hermoso es el mar! Cuando pisaba esta hierba me llamaban "Genji el Brillante", y ahora, desde la bóveda del cielo llego aquí a señalar la magia sobre los mortales. Canto la luna en esta sombra, aquí, en la orilla del mar de Suma. Aquí bailaré el *sei-kai-ha*. La danza azul en las olas del mar.» Éstas son las palabras iniciales del protagonista en la segunda escena del drama Nō *Suma Genji*. Con ella introduce la danza y revela su aparición sobrenatural. En la primera escena ese personaje tomaba la figura de un leñador y dialogaba con un monje, sin poder evadir su pensamiento, que, expresado por el coro, daba a conocer su auténtica personalidad. Genji, entonces, instaba al monje a esperar la luna para que lo viera «envuelto en niebla», concluyendo así la escena. En la siguiente, tras la visión celeste, acaba la obra con los comentarios del coro: «El aire vivo tiene músicas de flauta [...] El sueño se impone a lo real». Breves líneas, como se ve, bastan para resumir el argumento de un drama Nō, de esquema análogo al de otro Nō cualquiera, que consiste, generalmente, en dos atmósferas o momentos cuyo nexo se cifra en la transformación o revelación de la identidad de un personaje a través de lo cual se rompe la distancia de los tiempos.

Ruptura de tiempos y abolición de distancias culturales nos proporciona siempre el Festival de Otoño, permitiendo al espectador madrileño acercarse a espectáculos teatrales de países tan lejanos como el Japón. Un año puede ser una obra de Kabuki, y otro, una representación de Nō clásico y dos obras de Nō moderno de Yukio Mishima. Si el Kabuki es el teatro de lo maravilloso, donde lo fantástico cobra vida merced al maquillaje, la declamación o los rápidos cambios de traje y movimientos escénicos, y es popular, como el teatro de marionetas, el Nō es de carácter filosófico y refinado. De origen divino, nació, como nuestros misterios, vinculado a las funciones religiosas, y sus representaciones, que se centraban en torno a una danza, ya de un héroe, ya de un dios (si era sintoísta) o de una aparición milagrosa (si budista), tenía lugar tanto en los templos como en la corte.

El teatro Nō utiliza pocos actores –siempre hombres–; de hecho son fundamentalmente dos: un protagonista *(shite)* y un deuteragonista *(waki)*, más algunos secundarios. El coro, sin embargo, desempeña un papel muy importante. Se trata de un teatro de carácter simbólico y musical, lleno de alusiones, donde lo que cuenta es la emoción transmitida y no la acción. Por ello, cada gesto, cada desplazamiento del traje, cada paso, cada emisión de voz, deben orientarse a crear lo que es su objetivo: el *yugen* o «encanto sutil». Su fin es envolver al espectador, cautivarlo mediante lo que Zeami, que con su padre Kanami constituyó en el siglo XIV la gran diarquía de actores-autores del género, denomina la «flor». Para alcanzarla es imprescindible dominar el arte de mover la cabeza y lograr la identidad con la máscara, alto elemento dramático que cambia según la obra sea de dioses, de guerreros, de mujeres, de espíritus que poseen a los hombres, o de demonios. Estos cinco tipos de Nō, y por este orden, con breves piezas cómicas de Kyōgen intercaladas a modo de entremeses, integran una representación en toda regla.

El coro inicia su melopea situando la acción, o bien el *waki* se presenta a sí mismo y sólo después aparece el *shite*. La flauta da énfasis al recitado –siempre en falsete– o anuncia un acontecimiento sobrenatural, en tanto los tres tambores (de mano, rodilla y baquetas) y los gritos de los músicos subrayan la acción. La luz suave, la monotonía de la música, la extraña voz irreal realzan los gestos del primer actor, de extremada lentitud y concentración, de modo que la máscara cobra vida. Las suntuosas mangas se extienden de pronto como alas de un pájaro, se mueven como pétalos de una flor, adoptan la forma de vela de un barco, o bien caen en picado en la escena trágica. El abanico, que acrecienta los movimientos del brazo y completa la danza, es ya un papel, ya un cuchillo o un sable. También el escenario es simbólico: un sendero indica la separación, una puerta la prisa o la salida de los cobardes, cada pilar o columna, los puntos de situación y orientación. La danza, en sus tres movimientos, *Ho-Ha-Kyu* (introducción, variaciones y clímax) se apodera de la atmósfera y mediante esa lentitud que magnifica el instante, por un procedimiento análogo a la hipnosis, contribuye definitivamente a la abolición del tiempo, en favor del sueño.

Ese sueño es, a veces, una pesadilla terrible, como en *Paseo bajo los arces*, donde un caminante encuentra al azar por un bosque a una hermosa dama que le invita a beber y lo seduce con su danza. Cuando él cae ebrio, ella se transforma en un demonio de más de tres metros. En *La princesa Aoi*, el espectro de Rokujo, amante del esposo de Aoi, que se presenta con estas palabras: «Soy un cuerpo que no tiene raíz. Me deshago como el rocío de la hoja, también por esto la odio, mi amor no puede renacer, ni en un sueño», provoca en ella una enfermedad mortal, si bien es vencido por un exorcismo. En otras, en cambio, se producen benéficos encuentros o reconciliaciones.

Lo mismo sucede en las obras de Yukio Mishima. En una de ellas, basada precisamente en *La princesa Aoi*, de Zeami, la acción se traslada a un hospital psiquiátrico, pero la protagonista no se libra de la muerte. Tampoco sigue Mishima el final feliz del texto antiguo en *La mujer del abanico*, donde Hanako no reconoce al joven Jitsuko, con quien años antes intercambiara su abanico, y sigue esperándolo sin recobrar la razón. En *La bella y el poeta*, Komachi es una anciana de noventa y nueve años que recoge colillas en un parque –en la obra clásica es su propio espíritu– y el joven que se le acerca, al hablar con ella, la ve transfigurada y adopta el papel de su antiguo amante, que acudió a visitarla noventa y nueve noches. Nos hallamos en la que hace ciento, en la que ella accederá a sus deseos, mas, por alabar su hermosura, él muere sin alcanzarlo. El sueño se ha impuesto, aunque al precio de la vida.

1989

Atzuko y el reflejo

De vuelta de un concierto Mompou y en tránsito hacia Hamburgo, donde prestará su voz al ángel de *The dream of Gerontius*, de Elgar, viene a mi casa la cantante Atzuko Kudo, mi ángel mediador con el Japón, que me trae algunos datos sobre el teatro Nō. Su rostro y el gesto medido de su mano sosteniendo la tacita de café de Manises genera un remolino en mi cabeza –llamada de presentación de Jesús Ayuso, nuestro librero común, por medio– que se remansa en un reflejo y me traslada a mi infancia, embebida de música catalana, y al punto en que descubrí entre los discos de mi padre uno de música de Kabuki, del que furtivamente me apropié. Ese reflejo presenta como natural que Atzuko no sólo cante con entusiasmo a Mompou, Turina, Granados, Montsalvatge, Rodrigo o Joaquín Nin, sino que enseñe canto español en su país. Ahora, sin embargo, me da una noticia sorprendente: «¿A que no sabes qué me traían los alumnos para aprender?: *La dama d'Aragó, El testament d'Amèlia, El lladre, El noi de la mare...* ¡Buscaban las canciones de Toldrá! Es una moda, se ha puesto de moda la canción popular catalana».

Con esa voz que nace de tan hondo que con frecuencia surge acompañada de una breve expiración, me cuenta que se han publicado en su tierra dos libros de García Morante, de canciones populares catalanas (con acompañamiento de piano y de guitarra respectivamente –traducido este último por Teiko

Yanaghi, alumna de Conchita Badía–) y uno de canciones españolas. «Se conoce lo catalán por el disco de Caballé y Carreras, se oyó a Victoria de los Ángeles cantar *Lo cant dels aucells*, cuando las Olimpíadas, y por supuesto Pau Casals... Pau Casals, que dijo que, durante la guerra, en Cataluña los pájaros cantaban *pau*, paz...»

Y seguimos hablando, recuerdo fugazmente las filas de alumnos japoneses de Andrés Segovia en los cursos de Santiago de Compostela, ella la gira de Carmen Bustamante por su país, el número infinito de veces que se intepreta allí *El concierto de Aranjuez*, el arreglo (con acompañamiento de piano) de canciones populares japonesas de García Morante, editado en España... «Y te diré más –añade–, en Japón se celebra ahora –desde hace unos cuatro o cinco años–, en cooperación con Cataluña, el Día del Libro el mismo día de Sant Jordi.»

Me confiesa, al fin, siempre con la taza delicadamente en la mano y mirándome con oriental compostura, que yo he despertado su interés por el teatro Nō, al que, hasta ahora, había prestado poca atención. Una súbita ráfaga de viento de otoño arranca otro reflejo de mi interior, y veo en ella, de pronto, a la hermosa Yugao (personaje del *Genji monogatari*), con su abanico lleno de flores de calabaza, como hace su aparición en la obra de Zeami.

1993

El mundo flotante

Primera hora de la mañana y una luz desveladora va dando acceso a amplias superficies pobladas de encinas, algunas rodeadas de una corona de ramas debido a la poda, otras con un montón de tallos, como brazos cortados, en su proximidad. Estoy en el tren, de vuelta de Badajoz, y me asalta la belleza y un remordimiento: no me he atrevido a desviarme y llegar hasta el Valle del Jerte, que estará, sin duda, en su momento de eclosión. El poeta José María Bermejo, que es de allí, me ha hablado repetidas veces de las excursiones que se hacen –al modo japonés– para ver los cerezos en flor.

Y como vemos la realidad unida a lo que alberga nuestra mente, envuelta en la memoria, ese pasar de las encinas al ritmo del tren se entremezcla de pronto con los trazos de un grabado: las finas líneas que cruzan casi verticalmente una xilografía, cuyo espacio se reparte en dos mitades por dos curvas casi parabólicas (la inferior un puente de madera por donde pasan algunos hombres cubriéndose, la superior el límite de una orilla del río y una franja montañosa en gris), que son la lluvia... Se trata de una obra de Hiroshige, y nunca el efecto de lluvia, en un grabado o un cuadro, ha sido más eficaz. Y aunque hoy no llueve, tras el cristal, el aire claro fecunda el recuerdo de frescura en otra imagen, una vista del Fuji, de Hokusai, en que el volcán nevado preside desde lejos un molino que escupe con sus palas el agua, mientras a su vera dos mujeres se ocupan de dos cestas, y dos hombres cargan dos sacos (¿cuándo se ha visto caer el agua con caída más natural?).

Hiroshige, Hokusai... ¿Y Utamaru? ¿Quién puede olvidar sus retratos de mujeres, perfiladas de un trazo, con el movimiento en cada fracción infinitesimal de la línea y tan sutil que el dedo parece ir a cogerte y la boca emitir voz? «Todo fluye», dijo Heráclito, pero fueron los japoneses del *Ukiyo-e* (el mundo flotante), que surgió en el siglo XVII, quienes convirtieron en meta plasmar este hecho.

El instante, no visto como punto de suspensión, sino como plenitud del movimiento, se refleja también en la poesía. Así en el haiku: un punto que emite reverberos. «El estanque antiguo/ salta una rana/ el ruido del agua», escribió Matsuo Bashō, y alcanzó el resumen de imagen, gesto, sonido, color. Y si vamos más allá: la inmovilidad cruzada por el movimiento, lo intemporal y el tiempo.

Dos exposiciones, que tuvieron lugar en Madrid, nos acercaron al Japón clásico y pudimos atisbar diversos aspectos de su vida. Vimos platos de cerámica, cuencos de laca, cajas para escribir, espejos, bargueños, abanicos, libros, rollos de poemas, cartas, armas, armaduras, tocados, atavíos, máscaras, biombos, los hombres viviendo en la ciudad de un biombo, las flores de un ciruelo abriéndose sutilmente en las ramas de un biombo, los dragones entre las sombras de un biombo, las olas de cresta espumosa levantándose y amansándose en el mar de un biombo, los caballos saltando las vallas de un biombo, los pinos dibujándose y desvaneciéndose en la niebla de un biombo, la niebla, la niebla, flotando, tamizando el destello dorado de un biombo...

Todo fluye, sí, todo pasa, como estas encinas tras la ventanilla, todo es luz y sombra y escapa y, sin embargo, en las nubes de la mente, permanece.

1995

164

Escribir con el gesto

En el Japón antiguo, mientras los hombres cultos empleaban las letras chinas o *kanji*, el pueblo y las mujeres –limitadas en su entorno– acudían a otra forma caligráfica, las letras silábicas denominadas *kana* o escritura femenina, que fue la primera autóctona y que les permitía expresar con libertad sus sentimientos. Sucedía esto por el siglo IX y no por azar fue entonces cuando, junto a las leyendas, los mitos y la poesía, irrumpió en la literatura del mencionado país la narrativa, es decir, un tipo de relato que dejaba aflorar los rasgos psicológicos de los personajes, el humor y la ironía. Se trata de historias o cuentos, los *monogatari*, escritos a veces por mujeres, cuyo máximo exponente es el *Genji monogatari*, de Murasaki Shikibu (siglo XI), considerada la primera gran novelista a nivel universal.

La delicadeza de los sentimientos y la elegancia, la contención tan nipona que se trasluce en estos *monogatari* es la misma que emanan las películas de Mikio Naruse con las que nos ha deleitado en ocasiones la Filmoteca madrileña. Todo un mundo arraigadamente japonés y tan sutilmente tamizado, como el que Tanizaki describe en *El elogio de la sombra*, se nos muestra en la pantalla. Cada uno de sus elementos se nos antoja precisamente un eco que se remonta a aquellos momentos en que las letras, dejando la rígida línea china, se doblaban y redondeaban de un modo sugerente que se relacionaba incluso con las historias escritas.

Naruse, que empezó su carrera en 1930, y cinco años después, tras veinticuatro películas mudas, entró en el campo del cine sonoro, no sintió la tentación de las grandes gestas, como Kurosawa, que, por cierto, fue asistente suyo en *Nadare* (*Avalancha*), de 1937. Su mirada se mueve directamente por la vida, una vida que se desarrolla tanto en los interiores delimitados y transformados por los *shoji* –esas puertas correderas hechas de madera y papel–, como en la calle, sosegada o bulliciosa y llena de espectáculos. Surgen así ante los ojos de los espectadores los mundos del arte –el teatro Nō, el canto, la música, la literatura–, los espacios de la naturaleza –la montaña, la lluvia, el viento, el relámpago, el mar–, y sus voces. Y sobre todo las voces de las escenas diarias: niños que no dejan de afianzar su personalidad leyendo todos en voz alta y a la vez textos distintos; hombres taciturnos y atentos o displicentes; mujeres siempre amables y dispuestas a sacrificarse, pero que hablan cuando tienen que hablar y exigen que sus esposos sean sin tacha...

Hace unos años, en 1984, la Filmoteca nos ofreció ya una selección de películas de Naruse, generalmente interpretadas por Hideko Takamine. Ahora hemos podido ver a Setsuko Hara y a Kinuyo Tanaka. Estas mujeres son mucho más que actrices y representan mucho más que los papeles que interpretan: se mueven tan sutilmente, se arquean, se inclinan y se recogen de tal modo que se convierten ellas mismas en una caligrafía. Se diría que se trata de las letras *kana* y que, con estos caracteres, el cineasta nos comunica su confidencia. Si Tarkovski «esculpía en el tiempo», Naruse, sin duda, escribe con el espacio y con el gesto.

1998

El *koto* y la sombra

Si Junichirō Tanizaki hubiera levantado la cabeza mientras tenían lugar en la Fundación Juan March los conciertos de «Música tradicional japonesa», se hubiera sentido desesperado, como le sucedió cuando intentó incorporar el cristal a los *shoji* (parapetos móviles tradicionalmente de papel) de su casa. En el libro *El elogio de la sombra*, publicado por Siruela, dice que los antiguos *shoji*, por su modo de filtrar la luz, permiten que ciertas sombras floten, y «experimentamos el sentimiento de que el aire en esos lugares encierra una espesura de silencio, que en esa oscuridad reina una serenidad eternamente inalterable». En dicha atmósfera, los recipientes de laca, en los que se sirven los alimentos, o los objetos de oro emiten un resplandor muy singular, por ello se doraron las estatuas de Buda, los biombos, e incluso se entretejían hilos dorados en los kimonos.

Ese efecto, que sólo se da a la luz tamizada por los *shoji* y es como un irradiar súbito en la uniformidad de lo intemporal, lo produce también el *koto*, la cítara japonesa, cuando se toca al modo verdaderamente tradicional. El sonido de sus cuerdas de seda, en intervalos precisos, bien pulsados con los dedos o los plectros de marfil que el músico lleva fijos en el pulgar, índice y corazón de la mano derecha, equivale a la penumbra llena de destellos, pues este instrumento, delicado y monótono, está hecho para envolver y cautivar al auditor con su acento y su tempo nostálgico, y para insinuar el fulgor mediante su sutileza.

No fue esto lo que se oyó en la Fundación Juan March, aunque intentaron dar la atmósfera adecuada el color del biombo y el del kimono de la tañedora. La música de *koto* data de principios del siglo XVI y lo que se tocó fundamentalmente era de la segunda mitad del XX. En su tentativa de evolución, los compositores de aquellas piezas, cargados de malas influencias, desnudaron al instrumento de su sombra, de sus líneas de belleza, le hicieron chirriar, emitir estridencias, ondular los sonidos, tenderse y distenderse, estallar en luces violentas... En resumen: perder todo su sentido y situarse a la altura de cualquier maltratado instrumento occidental. ¿Exhibición? ¿A quién le interesa? Actualmente ya no se trata de eso. Y, desde luego, no era eso lo anunciado. Yo, que soy aficionada a lo japonés desde la infancia, sacudí el polvo de mis zapatos al salir, y luego entré en dos templos: dos exposiciones extraordinarias de arte japonés de los períodos Edo y Momoyama, que me devolvieron a lo genuino de ese mundo. Y me adentré en la «serenidad eternamente inalterable» de las xilografías de Hokusai y de Hiroshige, y después me perdí entre los pinos y la bruma de un biombo pintado a finales del siglo XVI por Hasegawa Tōhaku.

1995

El fantasma

Una vez más paseo por el parque Picasso, próximo a mi casa. Los árboles desnudos sostienen su fragilidad en un cielo gris. Un leve de viento mueve las ramas, hojas por el suelo, pocos pájaros: una imagen desolada. Pero se llega siempre a un ángulo donde unos cuantos pinos conservan sus verdes agujas y nos transportan indefectiblemente a la pintura de Hasegawa Tōhaku. Me detengo ante esos pinos y agradezco la idea a quien los plantó porque me explican las proporciones del parque –no hace mucho me enteré de que el arquitecto de la Torre Picasso, que lo preside, se llama precisamente Yamasaki...

Tal vez porque acabo de leer *El cuento del cortador de bambú* (tan bien traducido por Kayoko Takagi), al verlos ahora envueltos ya en ligera niebla, acude a mi mente no el ser lunar que lo protagoniza, sino una de aquellas mujeres del teatro Nō, que a mitad de la obra se convierten en fantasmales vampiros. Siempre me han gustado esas mutaciones del Nō, que se dan también en pobres leñadores o vagabundos que, de pronto, se revelan como el espíritu de un guerrero que baila su último combate. Hoy esa atmósfera de abandono me explica claves ocultas.

Los japoneses se adelantaron a Freud y a Lacan y pusieron ante los ojos de los espectadores el panorama del alma. Esos fantasmas remiten a la «falta en ser», a la pérdida que hay que reparar, y a la vuelta insistente a un punto hasta alcanzar la configuración del yo. Los espectros femeninos que anhelan saciarse en sangre, lo son de mujeres no amadas, abandonadas, insatisfechas, y los fantasmas de guerreros que necesitan reproducir su victoria o su derrota buscan rehacer su identidad a través de ojos ajenos, movidos por la pregunta: ¿qué quiere el otro de mí? Eterna pregunta. Que la analice cada uno con su fantasma.

1999

Yamatu[5]

(Breve pieza para marionetas)

YAMATU (el genio)
KIKU (la muñeca)
WATARU (el samurái)
NARRADOR

INTRODUCCIÓN

(Toda la obra se desarrolla con música llevada a cabo con instrumentos japoneses.)

1.– La erupción del volcán.

NARRADOR: Todos los cuentos empiezan diciendo «Érase una vez...». Esto es un cuento, inspirado en muchos otros, un cuento que empieza también de este modo: Érase una vez un genio llamado Yamatu que vivía en la cumbre del Fujiyama, el volcán del Japón tantas veces atrapado por el pincel de Hokusai. Este genio sólo se dedicaba a destruir, provocaba las gran-

---

[5] Rescato, para incluirlo en este libro, uno de mis escritos más antiguos conservados, esta breve pieza que escribí para unas marionetas que hice durante mi adolescencia con mis propias manos.

des erupciones de la montaña que en su interior guardaba el fuego y todo el territorio cercano quedaba arrasado bajo las llamas y las capas de lava. Dando alaridos saltaba por encima del fuego, elevándose hasta las nubes rojizas por el reflejo, gozando en contemplar el espectáculo incandescente debido a su poder.

(Aparece Yamatu e inicia una danza.)

2.– El volcán nevado

NARRADOR: Fatigado de la intensidad de la luz y el ardor del fuego, Yamatu cambió de actividad: hizo tender sobre las laderas un manto de nieve blanca. Paseaba por encima dando saltos y su larga cabellera roja se ondulaba al viento. Nunca sentía frío. Así vivió por algún tiempo. Pero la nieve, si bien no destruía las casas y el ganado, impedía dar fruto a todos los árboles de las cercanías y germinar a las plantas. Por ello los habitantes del lugar reunían una y otra vez grupos de hombres a fin de dirigirse a la cumbre y dar muerte a Yamatu, aunque, a decir verdad, nunca lograban llegar hasta él.

(Acaba la danza, Yamatu desaparece.)

Cuando Yamatu se cansó de recorrer todo el monte gritando y saltando sobre la nieve se sentó una tarde a mirar el cielo y pensó: estoy solo, me gustaría tener compañía. Y se puso a hacer muñecos de nieve. Y pasaba los días con ellos. Hizo duendecillos, niños, guerreros, pequeños genios, toda clase de animales, y con el tiempo llegó a modelar una hermosa muñeca a la que llamó Kiku. Era del tamaño de una persona, y tenía una dulce sonrisa. El genio empezó a pasar los días mirándola, satisfecho de su obra, y sintió el deseo de darle vida. Como no sabía cómo hacerlo se dedicó a pasear furioso por toda la superficie del volcán, dando grandes alaridos. De día y de noche. Siguió así durante mucho tiempo, hasta que un día se quedó inmóvil mirando el rojizo fondo del Fujiyama y sus ojos se apoderaron del reflejo del fuego: había descubierto el secreto de la vida en la tierra candente y en el agua y la nieve. Al día siguiente Kiku ya andaba y su cara blanca fue tomando color. Su cabello se volvió negro y brillante como la laca. Sus ojos se tornaron castaños y se llenaron de la luz del sol. Sus manos y sus pies, menudos, se movían con agilidad.

(Aparece Yamatu llevando de la mano a Kiku.)

La fiera expresión del rostro de Yamatu desapareció: se sentía feliz. Condujo a Kiku a su choza, que era pequeña y no tenía luz ni otro lugar para dormir que el suelo frío. En los rincones se amontonaban leños que servían de asiento o para hacer fuego de vez en cuando. También había trozos de raíces y hierbas, el alimento del genio.

ESCENA I

(Kiku y Yamatu en la choza. Mientras habla el narrador Kiku va mirando las cosas.)

NARRADOR: Kiku no se asusta de la pobreza, fijaos cómo lo observa todo, pero hace ya días que se mueve entre estas paredes, no puede dedicarse a correr por el monte lanzando alaridos como Yamatu, y de tanto mirar la nieve blanca y el cielo siempre igual, se está poniendo triste.

YAMATU: Una cara tan bella no puede recibir sólo el reflejo del frío, acabaré con esto: ¡que se fundan las aguas, se formen ríos y los bosques reverdezcan!

NARRADOR: ¡Mirad cómo cambia el color del cielo, cómo se desvanece la palidez!

(Mientras habla el narrador se produce cambio de luces y Kiku y Yamatu bailan la danza de la tranformación del paisaje.)

Ya llegan los pájaros, ya crecen las flores, muchos animales van poblando los bosques. Pero, ¡ay!, la gente de los pueblos más próximos empieza a ascender las laderas...

ESCENA II

(Yamatu dentro de la casa.)

YAMATU: Yo que había olvidado la cólera, que construí para Kiku esta hermosa casa y llené su jardín de flores y de pájaros de todas clases, siento de nuevo mi pecho lleno de ira y no tendré piedad.

NARRADOR: La riqueza de estos parajes, antaño estériles, hizo que los hombres vinieran en busca de tierras y de caza. Algunos creyeron que el genio había muerto, otros, por el contrario, que era el momento de hacerlo perecer.

YAMATU: Cuando hice brotar fuego del volcán me temían, cuando cubrí de nieve la tierra se alejaron, ahora que todo es hermoso quieren matarme. Destruiré a todo el que se acerque...

NARRADOR: Ahora Yamatu ha encerrado a Kiku y ésta no puede pasear por el bosque ni junto al río, sólo le es accesible el hermoso jardín. La furia de Yamatu se cierne ya sobre los animales y los árboles, ya empieza a incendiar los bosques, ya desborda los ríos, sólo respeta ese recinto donde ella está de nuevo triste, asustada por la cólera del genio. Los hombres se reúnen en asamblea para combatirle unidos. Es inútil: él forma avalanchas de piedras que caen en cascadas y los aplasta a todos.

ESCENA III

(Kiku en el jardín, se lamenta de su suerte dirigiendo sus quejas a los pájaros.)

KIKU: Encerrada... Me ha dejado encerrada y ya no podré correr nunca por el bosque ni a la orilla del río. Se han terminado los bailes y la caza; se ha terminado mi libertad para siempre. Yamatu destruye las laderas, ha hecho que las aguas de los ríos se salgan de su cauce. Acaba con todo lo que antes hizo. Algún día lo hará también conmigo quizá y volveré a ser una muñeca de nieve llena de frío. Esto es lo que era según él me ha contado... Oh, pájaros, cantad para que olvide mi pena, y vosotras, flores, llenad el aire de perfume.

(*Danza triste de Kiku.*)

NARRADOR: Pero he aquí que mientras Kiku se lamenta, un samurái ha emprendido el camino por el lado del monte donde no se halla el genio lanzando avalanchas de piedras, y casi sin darse cuenta ha llegado al jardín y escucha, desde el otro lado del muro, los lamentos unidos a los cantos de los pájaros y siente el intenso olor de las flores. Sin poder vencer la curiosidad ante tantas maravillas, salta la tapia y se encuentra cara a cara con la muñeca.

ESCENA IV

KIKU: Nunca podré acostumbrarme a vivir encerrada...

(*Aparece Wataru.*)

WATARU: ¿Es del genio este hermoso palacio y tú eres su cautiva? ¿Cómo un alma tan cruel puede vivir en compañía tan amable?

KIKU: ¿Quién eres tú?

WATARU: Soy Wataru, samurái por gracia del Emperador y ahora tu servidor. Vine para liberar al pueblo del genio que habita estos lugares, pero desde este momento sólo pensaré en rescatarte del cautiverio.

KIKU: Yo me llamo Kiku. Mi vida fue feliz cuando Yamatu se decidió a limpiar el monte de nieve y permitir que nacieran ríos y bosques... Pero entonces los hombres os ensañasteis contra él sin motivo alguno. Ya sabrás las vidas que esto ha costado. Y, además, todo, excepto el jardín y la casa, está siendo destruido. Yo, encerrada aquí, como uno de mis pájaros, los únicos seres con los que puedo hablar...

WATARU: Habla, pues, conmigo...

(Salen.)

Narrador: Estuvieron charlando hasta que llegó la noche, entonces Kiku escondió a su nuevo amigo por temor a que el genio lo encontrara. Yamatu se acercó a la casa con los ojos encendidos de ira y un lamento en los labios.

ESCENA V

(Kiku y Yamatu en el interior de la casa.)

Yamatu: ¡Los aplastaré a todos! ¡Ya nunca más crecerán árboles en la ladera, no puede ser! ¡Todo, todo por culpa tuya! Antes me contentaba con avivar el volcán o saltar sobre la nieve.

Kiku: Me marcharé si quieres.

Yamatu: ¡Jamás! No has de salir de este encierro. ¡Tienes que pagar mi desventura! Bien sabes que era feliz dando alaridos, haciendo saltar el fuego del corazón de la tierra o danzando sobre las inmensas olas de blancura que ocultaban la superficie, pero tú me hiciste sentir la claridad de río, la paz del bosque...

(Yamatu baila amenazándola mientras ella se desvanece en un rincón.)

ESCENA VI

(Kiku, Wataru y Yamatu en el jardín.)

Narrador: Kiku llora. Kiku sigue llorando. Ya es de noche y, con cautela, va a ver a Wataru y ambos salen al jardín. Él le promete sacarla de allí, pero ella le suplica que no mate al genio. «Es bueno a pesar de todo», dice, «lo habéis atacado cuando empezaba a ser feliz». Hablan en un susurro bajo los candiles de las estrellas.

(Aparecen Kiku y Wataru.)

KIKU: Huyamos aprovechando la oscuridad...

WATARU: No tardará en darse cuenta...

(Yamatu asoma por una ventana.)

YAMATU: ¿Quién está ahí? ¡Qué veo! ¡Un samurái! ¡No escapáreis a mi ira!

(Yamatu desaparece.)

KIKU: Nada podemos contra él. Huyamos o nos quedemos, nuestro final está próximo. Amparémonos en la noche, llenémonos del perfume de las flores, contemplemos un instante la luna que se eleva pálida detrás de la cumbre y acabemos nuestras vidas.

(Kiku y Wataru hacen ademán de salir cuando entra Yamatu.)

ESCENA VII

YAMATU: ¡Eh, samurái, ríndete o lucha!

NARRADOR: ¡Ya destellan los aceros, cómo saltan los dos enemigos llenando el espacio con sus ágiles movimientos! Son como nubes oscuras que se esparcen por el jardín. ¡Ambos son fuertes y diestros, sus pies resuenan en tierra como tambores, los filos de sus espadas vibran como cornetas anunciadoras de duelo!

KIKU: ¡Oh, dejad esa pelea, este hermoso jardín no es lugar para luchar!

ESCENA VIII

(Amanece.)

KIKU: Toda la noche se ha oído el fragor de la contienda, pero ahora me angustia este silencio.

(Se acerca con cautela a Yamatu y Wataru, que yacen en el suelo.)

¡Ay, los dos han muerto! Eran iguales en valor y en fuerza y han pagado del mismo modo su enemistad con su vida. Este jardín será su tumba y también la mía.

NARRADOR: Kiku se inclina hacia Yamatu para coger de su mano la espada, pero ved lo que sucede: Yamatu se levanta y, al mismo tiempo, se levanta Wataru y los tres se miran, mudos de sorpresa, mientras los pájaros se aproximan a ellos ansiosos de conocer el final de esta historia.

YAMATU: Es cierto, Kiku, este jardín no es lugar para luchar. Las flores y los pájaros desean la armonía. Suya es la victoria. Me rindo a ella. A ti, Wataru, te pido que aceptes la mano de Kiku y te constituyas en su guardián. Y yo me adentraré por el cráter del hermoso Fujiyama, para sostener las riendas de su corazón de fuego.

(Danza final de Yamatu.)

FIN

Octubre, 1961

**Obras de Clara Janés publicadas
en Ediciones Siruela**

La voz de Ofelia (2005)

Los números oscuros (2006)

La indetenible quietud (2008)
En torno a Eduardo Chillida

María Zambrano. Desde la sombra llameante (2010)

Viaje a los dos Orientes (2011)